PRAG

APA *City* GUIDES

Herausgegeben von Joachim Chwaszcza
Fotografiert von Bodo Bondzio und Joachim Chwaszcza
Art Director: Hans Höfer

RV Reise-und Verkehrsverlag

APA GUIDES

Titel in deutscher Sprache		Titel in englischer Sprache	
LÄNDER & REGIONEN	**STÄDTE–CITYGUIDES**	**COUNTRIES & REGIONS**	**CITYGUIDES**

LÄNDER & REGIONEN	STÄDTE–CITYGUIDES	COUNTRIES & REGIONS	CITYGUIDES
Ägypten	Bangkok	Alaska	Bangkok
Argentinien	Berlin	Alsace	Beijing
Australien	Florenz	American Southwest	Berlin
Bali	Istanbul	Argentina	Buenos Aires
Bretagne	Jerusalem	Australia	Calcutta
Burma	Lissabon	Bahamas	Dublin
China	London	Bali	Edinburgh
Elsaß	München	Barbados	Florence
Florida	Paris	Brazil	Istanbul
Frankreich	Peking	Brittany	Jerusalem
Griechenland	Prag	Burma	Lisbon
Griechische Inseln	Rio	California	London
Großbritannien	Rom	California, Northern	Melbourne
Hawaii	San Francisco	California, Southern	Munich
Hong Kong	Sydney	Canada	Paris
Indien	Venedig	Caribbean	Prague
Indonesien	Wien	(The Lesser Antilles)	Rio de Janeiro
Irland		Channel Islands	Rome
Israel		China	San Francisco
Italien	**APA–SPECIALS**	Egypt	Singapore
Jamaika		Florida	Sydney
Jemen	Ostafrika Safari	France	Venice
Kalifornien	Ostasien	The Gambia/Senegal	Vienna
Kanada	Rhein, Der	Germany	
Kanalinseln	Südasien	Gran Canaria	
Kenia	Wasserwege in Westeuropa	Great Britain	**INSIGHT SPECIALS**
Korea		Greece	
Kreta		Greek Islands	Continental Europe
Malaysia		Hawaii	Crossing America
Marokko		Hong Kong	East African Wildlife
Mexiko		Hungary	East Asia
Nepal		India	Indian Wildlife
Neuseeland		Indonesia	Rhine, The
New York		Ireland	South America
Philippinen		Israel	South Asia
Portugal		Italy	Waterways of Europe
Schottland		Jamaica	
Singapur		Kenya	
Spanien		Korea, Republic of	
Sri Lanka		Malaysia	
Taiwan		Mallorca & Ibiza	
Teneriffa		(incl. Menorca & Formentera)	
Thailand		Mexico	
Toskana		Morocco	
Türkei		Nepal	
Ungarn		New England	
USA Südwest		New York State	
USA		New Zealand	
		Pacific Northwest, The	
		Pakistan	
		Philippines	
		Portugal	
		Provence	
		Puerto Rico	
		Rajasthan	
		Rockies, The	
		Scotland	
		Spain	
		Sri Lanka	
		Sweden	
		Taiwan	
		Tenerife	
		Texas	
		Thailand	
		Trinidad and Tobago	
		Turkey	
		Tuscany	
		Wales	

PRAG

© APA PUBLICATIONS (HK) LIMITED, 1991
Alle Rechte vorbehalten
©Apa Guides, 1991
RV Reise - und Verkehrsverlag
Berlin/Gütersloh/München/Stuttgart
Vertrieb: GeoCenter Verlagsvertrieb GmbH, München
Prag ISBN: 3-575-21016-0
Printed in Singapore by Höfer Press Pte Ltd

ZU DIESEM BUCH

Mit diesem *City Guide Prag* setzt APA Publications seine Serie „Zu den schönsten Städten der Welt" fort. Auch die Bücher dieser Reihe sind der Idee des Verlagsgründers **Hans Höfer** verpflichtet, Bild und Text, praktische Reiseinformationen und aktuelles Kartenmaterial miteinander zu verbinden.

Daß Prag als einer der ersten Titel der *APA City Guides* ausgewählt wurde, ist keineswegs Zufall, denn die Goldene Stadt an den Ufern der Moldau hat seit dem 14. Jahrhundert Menschen aus allen Himmelsrichtungen in ihren Bann gezogen. Unter Karl IV. wurde sie eine der bedeutendsten europäischen Metropolen. Hier wurde 1348 die erste deutsche Universität gegründet. Von Prag aus begann sich unter Jan Hus der Geist der Reformation seinen Weg zu bahnen. Der Fenstersturz zu Prag leitete den Dreißigjährigen Krieg ein.

Seit den dramatischen Ereignissen im Herbst 1989 hat Prag wieder seine Position als zentraleuropäische Stadt eingenommen, ist wieder Bindeglied zwischen den einzelnen Völkern. Immer wieder fasziniert Prag mit seinen Zeugnissen einer glanzvollen und bewegten Vergangenheit, mit seinen Plätzen und Gassen, wo einst Rabbi Löws *Golem*, Hašeks *Schwejk* und Kafkas *Josef K.* geboren wurden. Wahrhaftig, Prag hat es verdient, zu den schönsten Städten der Welt gezählt zu werden.

Der Journalist **Joachim Chwaszcza** aus München wurde im Dezember 1987 mit der Planung, Gestaltung und Verwirklichung des APA Guide Prag beauftragt. Für ihn hatte dieses Buch eine besondere Bedeutung – ging er doch damit ein gutes Stück zurück in seine familiäre Vergangenheit, weil ein Elternteil aus der heutigen Tschechoslowakei stammt. So konnte er Berufliches und Privates miteinander verbinden. Chwaszcza hat auch eine Reihe von Artikeln und Fotos zu diesem Buch beigesteuert. Mit Hilfe zahlreicher Prager Freunde hat er den Kurzführer zusammengestellt, von dem Sie bei Ihrem Prag-Aufenthalt profitieren können.

Die Autoren

Seine Schwester **Christine Chwaszcza** studierte in München Politologie und stellte mit großer Sorgfalt den ersten Teil der historischen Einführung zusammen. Für sich selbst entdeckte sie dabei den frühhumanistischen Kreis um Karl IV.

Eva Meschede hat ebenfalls in München Politologie studiert, besuchte die deutsche Journalistenschule und arbeitet als freie Mitarbeiterin für Zeitungen und Rundfunk. Sie lieferte den zweiten Teil der historischen Einführung.

Ota Filip wurde 1930 in der Tschechoslowakei geboren und studierte nach dem Abitur an der Hochschule für Journalistik. Seit 1975 lebt Filip, der PEN-Mitglied ist, in München als freier Schriftsteller und Autor. Bisher hat er 10 Romane in 7 Sprachen veröffentlicht. Sein letzter Roman *Café Slavie* ist ebenso unterhaltend wie auch als ergänzende Reiselektüre für Prag geeignet.

Vilem Wagner ist gebürtiger Prager und lebte bis zu seinem 21. Lebensjahr dort. Er studierte in Prag, München und Hamburg Geige und Musikwissenschaften und war auch für Film und Fernsehen tätig. Wagner, der heute in Hamburg lebt, ist und bleibt Tscheche mit Leib und Seele. Für den *APA Guide Prag* hat er drei Stadtrundgänge und drei Essays geschrieben.

J. Chwaszcz

Ch. Chwaszcza

Meschede

Filip

Wagner

Johanna von Herzogenberg wurde in Sichrow, Nordböhmen geboren. Sie studierte in Prag und Tübingen Germanistik und Kunstgeschichte und promovierte an der Prager Karls-Universität. Neben einem eigenen Pragführer hat sie eine Reihe kunstgeschichtlicher Publikationen veröffentlicht. Neben ihrer Tätigkeit für Presse und Rundfunk veranstaltet und betreut sie auch Austellungsreihen in USA, Israel, Österreich und in Deutschland.

Jana Kübalova ist Leiterin der Abteilung Glas und Keramik am Kunstgewerbemuseum in Prag. Auch sie hat an der Prager Karls-Universität studiert. In diesem Buch schreibt sie eine kurze Geschichte des böhmischen Glases.

In Prag wurde vor allem **Dr. František Kafka** die wichtigste Anlaufstelle. 1909 in Mittelböhmen geboren, studierte er später an der Karls-Universität. 1939 als Jude arbeitslos, wurde er von 1941-1945 im Ghetto Litzmannstadt interniert. Nach dem Krieg war Kafka Sekretär der ersten Regierung, ab 1947 Mitglied im PEN-Club. Von 1974-1978 war er Leiter der jüdischen Gemeinde in Prag. Kafka, der mehr als 20 Bücher veröffentlicht hat, lebt, noch immer rege tätig, als freier Schriftsteller.

Franz Peter Künzel wurde 1925 in Königgrätz geboren. Nach dem Krieg gehörte Künzel zu den ersten, die trotz Kalten Kriegs und verlegerischer Vorsicht tschechische Literaten im Westen bekannt machte. Er übersetzte Hřbal und eine Vielzahl anderer prominenter Autoren und wurde mit dem Übersetzerpreis des tschechoslowakischen Schriftstellerverbandes ausgezeichnet. Künzel schrieb für den *APA Guide Prag* einen Essay über das literarische Leben dort.

Marc Rehle ist Jahrgang 57 und von Beruf Architekt. Zur Zeit ist er am Lehrstuhl für Entwerfen und Denkmalpflege der Technischen Universität in München tätig. Sein Interesse an den östlichen Nachbarländern hat sich seit seiner Studienzeit unablässig gesteigert. Auf zahlreichen Reisen durch die Tschecheslowakei und andere östliche Länder ist er ständig auf der Suche nach bedeutenden und vergessenen Bauten des 20. Jahrhunderts.

Die Fotografen

Fotografisch sollte der APA Guide Prag vorwiegend eine Handschrift tragen. **Bodo Bondzio**, der mit einer Pragerin verheiratet ist, fotografiert seit nahezu 10 Jahren in Prag. Es gibt wohl dort keinen Ort mehr, den er nicht dokumentiert hat. Bondzio, von Beruf Graphiker, stellte das Gros des Bildmaterials. Die meisten Ergänzungen stammen von **J. Chwaszcza**, der seine Aufenthalte auch immer für das Fotografieren nutzte. Auch **Jens Schumann** aus Berlin hat einige Aufnahmen beigesteuert. In Prag sei mit Dankbarkeit auf **Pavel Scheufler** hingewiesen. Seit fast zwanzig Jahren sammelt er historische Aufnahmen von Prag und leistete damit wertvolle historische Arbeit. Er stellte aus seinem reichhaltigen Archiv mehrere Aufnahmen zur Verfügung.

Recht herzlichen Dank sei in Prag **L.** und **P. Vilas**, **J. Kafka** und **L. Adamek** gesagt. Sie haben während der Vorbereitung dieses Buches wichtige Hinweise und Unterstützung gegeben.

Die überarbeitete Neuauflage besorgte die Münchner Redaktion von APA Publications.

Herzogenberg

Kafka

Künzel

Rehle

Bondzio

INHALT

MENSCHEN UND GESCHICHTE

STRASSEN UND PLÄTZE

FEATURES

KARTEN

KURZFÜHRER

PRAG – IM HERZEN EUROPAS

Es macht wieder Spaß, nach Prag zu fahren. Überall, wo man geht und steht, ist der neue Geist zu spüren. Sicherlich merkt man hier und da noch Skepsis, ob man dem neuen Frieden trauen kann. Denn man hat schon einmal, vor 22 Jahren, die bittere Erfahrung machen müssen, daß alles sehr schnell vorbei sein kann und dann nur noch schlimmer wird.

Plötzlich findet in Prag wieder Geschichte statt. Und die Prager haben ihren Idolen die Treue gehalten. Thomas Garrigue Masaryk und Alexander Dubček, die Symbolfigur des Prager Frühlings – beide hatten sie all die Jahre über nicht vergessen, auch wenn sie im öffentlichen Leben totgeschwiegen wurden. Heute sind ihre Bilder überall, in den Schaufenstern und auf den Plakaten. Trotzdem gibt es keinen Personenkult, auch nicht um den neuen Präsidenten, der Mann, dem die Tschechoslowakei dies alles zu verdanken hat. Aus allen Schaufenstern grüßt Václav Havel, Dichter und Prager. Und seine über lange Jahre hinweg bewiesene Integrität steht außer Zweifel. Ein Mann mit Charisma und mit Ehrlichkeit.

Auch das Leben auf der Straße hat sich verändert. Kleine und große Kunst hat ihren Platz in der Öffentlichkeit wieder gefunden: Theater, Ausstellungen, Diskussionen – all das, wonach sich die Prager so sehr gesehnt haben, ist plötzlich möglich. Man geht wieder durch eine Stadt mit all dem dazugehörigen öffentlichen Leben. Und der Verkauf von westlichen Nachrichtenmagazinen ist nach wenigen Wochen schon Selbstverständlichkeit geworden.

Neue, noch größere Besucherströme kommen in die Stadt. Man will sehen, was sich verändert hat. Aber trotz all dem Ansturm ist Prag immer noch eine Bohéme-Stadt. Das Leben von einst, die Kaffehausidylle, hat sich trotz des Stalinismus in die neue Zeit gerettet. Ein melancholischer morbider Hauch weht durch die Gassen und Kaffehäuser.

Es ist eine Stadt, die von Geschichten lebt. Und wer Prager kennt oder kennenlernt, weiß, welchen Stellenwert die kleinen Anekdoten besitzen. Prag ist eine „Erzählerstadt", denn jeder hat hier etwas zu erzählen. Geschichten, Pointen oder Witze – in ihnen drücken die Menschen aus, was sie bedrückt oder erheitert.

Prag ist immer noch keine Modestadt, geschweige denn eine moderne Stadt. Sicherlich gibt es Modernes zu sehen, und im Laufe der Jahre wird sich durch die neue Politik einiges ändern. Aber der Charme dieser Stadt liegt nicht in tollen Geschäften. Es ist vielmehr die Atmosphäre, es sind die Gassen der Kleinseite, die barocken Paläste und Kirchen, die alles überragende Burg. Es ist die große kulturelle Tradition Prags, die über Jahrhunderte hinweg diese Stadt mit ihren Menschen geformt hat und die uns heute fasziniert. Vieles liegt noch im Argen, und es wird Jahre dauern, bis sich Prag vom Sozialismus erholen wird. Perfekt restaurierte Ensembles wie der Altstädter Ring können darüber genauso wenig hinwegtäuschen wie prall gefüllte Geschäfte am Wenzelsplatz. Die entscheidenden Schritte dafür sind aber bereits gemacht worden, Wahlen finden wieder statt. Prag hat seinen Platz in Europa wieder gefunden.

Vorhergehende Seiten: Prag um 1860. Junge Pragerin. Karlsbrücke. Kuppel von St. Niklas auf der Kleinseite. Links: Das Altstädter Rathaus.

Eine sagenumwobene Gründung: Nach der Sage, wie sie der Chronist Cosmas überliefert, bewog Libuše, die Gemahlin des Přemysl, ihren Mann, ein unscheinbares Dorf am Ufer der Moldau aufzusuchen und dort eine Stadt zu gründen, der sie großen Ruhm weissagte: „In dieser Stadt werden einmal zwei goldene Ölbäume wachsen, welche mit ihrem Gipfel bis in den siebenten Himmel reichen und in der ganzen Welt durch Zeichen und Wunder glänzen werden." Nach der Sage zogen Přemysl und seine Mannen an den beschriebenen Ort und gründeten die Stadt Prag.

Der Aufstieg der Přemysliden: Frühe archäologische Funde lassen auf eine Besiedlung des Prager Raumes seit der jüngeren Steinzeit schließen. Die Entwicklung Prags zum politischen und kulturellen Zentrum Böhmens allerdings ist aufs engste mit dem Aufstieg und der Macht des Přemyslidengeschlechts verbunden. Im Kampf um die Vorherrschaft im böhmisch-mährischen Raum zwischen Slawiken und Přemysliden setzten sich Ende des 9. Jahrhunderts die Přemysliden durch. Sie verlegten ihren Herrschersitz von Levy Hrádek auf den strategisch günstigen Felsvorsprung am linken Moldauufer und errichteten dort eine Burg.

Die Bedeutung des Namens „Praha", der zunächst nur die Přemyslidenburg bezeichnete, steht etymologisch nicht zweifelsfrei fest, er scheint jedoch auf die Kargheit der Gegend hinzuweisen. Im Bereich der Vorburg entwickelten sich Ansiedlungen, zunächst von Zulieferern für die Bewohner der Burg, später auch von Handwerkern. Zu Beginn des 10. Jahrhunderts entsteht am linken Ufer, etwa vier Kilometer südlich der alten Burg, der Vyšehrad, ursprünglich „Chrasten" genannt. In den gleichen Zeitraum fällt die Bebauung des Hradschin. Unter Boleslaw I. (929-967 oder 972) muß sich Böhmen endgültig dem Deutschen

Reich anschließen, und nach der Vertreibung der Magyaren baut Böhmen seine Beziehungen zum Westen – sogar bis nach Rom – aus. Prag wird ein wichtiger Handelsplatz. 965 erzählt der Kaufmann Ibrahim Ibn Jakub, daß „die Stadt Prag aus Stein und Kalk erbaut und die größte Handelsstadt" ist – was übertrieben sein dürfte; wahrscheinlich wurden die Lehmwälle der Burg erst im 12. Jahrhundert durch steinerne ersetzt.

Die Gründung des Bistums Prag: Für die Entwicklung Prags entscheidend war, daß es 973 Boleslaw II. (967/72-999) gelang, die lange verweigerte Zustimmung des deutschen Kaisers zur Gründung eines Bistums Prag zu gewinnen. Als dessen erster Bischof wurde 982 der in der Magdeburger Domschule – einem wichtigen Zentrum der Slawenmission – ausgebildete Mönch Adalbert ernannt. Adalbert floh wiederholt aus Prag und starb in Polen. Seine Reliquien wurden erst von Břetislaw I. (1040-1055) auf einem Polenfeldzug erbeutet und nach Prag gebracht. Zwar scheiterte der Plan, durch die Reliquien die Prager Domkirche zu erheben, aber dennoch gewinnt Prag unter Břetislaw I. international an Bedeutung. Břetislaws Nachfolger Spytihnev II. (1055-1061) wird außer der Vertreibung deutscher Kaufleute aus Prag der Bau einer romanischen St.-Veits-Basilika über der St.-Veits-Rotunde auf der Prager Burg zugeschrieben. Sein Nachfolger Herzog Wratislaw I. (1061-1092) erweist sich im Investiturstreit als treuester Verbündeter Heinrichs IV., der ihn auf der Synode zu Mainz 1085 zum ersten König von Böhmen erhebt. Die Krönung vollzieht der Trierer Erzbischof Engelbert 1086 in Prag.

Die Marktstätte Prag: Ende des 11. Jahrhunderts finden sich erste schriftliche Erwähnungen der Marktstätte Prags – sie befand sich im Bereich des heutigen Altstädter Rings *(Staroměstské náměstí)*. So verlagert sich um 1100 die Besiedlung von der Vorburg auf das rechte Moldauufer. Eine ungeheure Bautätigkeit setzte ein, bei der sich der romanische Stil nun auch in Prag durchsetz-

Links: Diese Figurengruppe aus der Libuše-Sage, die Bedřich Smetana den Stoff zu einer Oper lieferte, steht am Vyšehrad.

te; Sobeslaw I. (1125-1140) vollendete den von Wratislaw II. begonnenen Umbau des Vyšehrad. Die romanischen Kirchen und die Burgakropolis wurden fertiggestellt und die Lehmwälle durch einen steinernen Burgwall ersetzt. Sobeslaw setzte sich stark für die Erweiterung der Wirtschaft und des Handels ein. Unter seiner Förderung entstand aber auch im Vyšehrader Domkapitel der prunkvolle Vyšehrader Kodex, eine kostbar verzierte Handschrift. Wladislaw II. (1140-1172, nach der Krönung zum König 1158 Wladislaw I. genannt) verlegte den Herrschersitz wieder auf die alte Burg, die – nicht zuletzt auf Grund der Schäden durch die Belagerung durch den Přemysliden Konrad von Znaim – neu aufgebaut werden mußte. Nach dem Vorbild der rheinischen Pfalz entstand ein neuer Fürstenpalast, und die St.-Veits-Basilika wurde ausgebaut. 1140 werden das Prämonstratenserkloster auf dem Strahov und 1170 das Johanniterkloster auf Höhe des späteren Kleinseitener Brückenkopfes der Judithbrücke gegründet.

Die erste steinerne Brücke: Auch die Besiedlung außerhalb der Burgen nahm entschieden zu, wovon die vielen Kirchengründungen aus dieser Zeit zeugen: St. Johannes am Geländer und Heiligkreuz, St. Laurentius, St. Andreas, St. Leonhard, Maria an der Lache, St. Valentin, St. Philipp und Jakob am Bethlehemsplatz, Maria vor dem Teyn, St. Clemens und St. Ägidius und andere, fast alle im Bereich der Altstadt. König Přemysl Otakar II. (1253-1278) gründete 1257 auf der heutigen Kleinseite *(Malá Strana)* eine weitere „Neustadt" unterhalb der Burg und schaffte mit der steinernen Judithbrücke (ungefähr auf Höhe der heutigen Karlsbrücke), mit deren Bau um 1170 begonnen wurde, eine feste Verbindung zwischen der Burg und der Altstadt. Unter Otakars Herrschaft gelingt Böhmen der Aufstieg zu einer bedeutenden mitteleuropäischen Macht; die Přemysliden-Residenz Prag avanciert zu einem internationalen Treffpunkt Mitteleuropas. Der Rückgang des Fernhandels, der inzwischen entlang der Donau und über Wien geführt wurde, konnte durch den lokalen Bedarf sowie den Handel mit Luxusgütern zunächst einmal aufgefangen werden.

Die Stadtrechte: Spätestens ab 1231 jedoch begann unter König Wenzel I. (1230-1253) die Befestigung der Altstadt und der neugegründeten Gallus-Stadt *(Havelské Město)*. Der Bau einer Stadtmauer bedeutete ein außerordentliches Privileg, denn sie bot nicht nur Schutz gegen Angriffe von außen. „Stadtluft macht frei" lautete ein geflügeltes Wort aus dieser Zeit: Die Bewohner einer Stadt unterstanden weder der Leibeigenschaft, noch waren sie „an die Scholle gebunden"; wer ein Jahr in der Stadt lebte, wurde ihr Bürger. Zwar unterstand die Altstadt noch immer einem vom König eingesetzten Richter – seine Stellung entsprach der eines Schultheißen –, doch galt bereits ein dem „Schwabenspiegel" ähnliches Recht in der Gallus-Stadt, das sogenannte „Nürnberger Recht".

Verwaltet wurde die Stadt von einem Rat, der sich im Haus des Richters traf; erst Johann von Luxemburg verlieh um 1338 der Altstadt das Privileg eines eigenen Rathauses. Der Stadtrat kaufte das Haus des Wölflin vom Stein, später das Nachbarhaus. Die Stadtrichter und Ratsherren wurden aus den Patrizierfamilien (Adel und Großgrundbesitz) ernannt bzw. gewählt. Das Bestehen erster Handwerkerorganisationen und Zünfte wird für Prag gegen Ende des 13. Jahrhunderts angenommen. Die Judenstadt unterstand direkt dem König, einige kirchliche Besitzungen behielten ihren Sonderstatus.

Die Stadtmauer war zu diesem Zeitpunkt in erster Linie nach strategischen Gesichtspunkten angelegt. Spätestens seit 1287, als das Recht der Altstadt offiziell auch für die St.-Gallus-Stadt galt, kann von einer Konsolidierung der (Alt-)Stadt ausgegangen werden. Die ältere Siedlung *(Hradčany)* auf dem rechten Ufer erhielt um 1320 Stadtrecht und Mauern, die Kleinseite (damals Neustadt genannt) bekam, nachdem König Přemysl Otakar II. die tschechischen Siedler vertreiben und deutsche hatte rufen lassen, um 1257 die städtischen Privilegien und das Magdeburger Recht zugestanden.

Zu Beginn des 14. Jahrhunderts bestehen also drei Prager Städte, die rechtlich und organisatorisch voneinander unabhängig sind und sich auch hinsichtlich ihrer Sozial- und Bevölkerungsstruktur stark unterscheiden. Die Gesamtfläche der Städte wird um 1300 auf 120 Hektar geschätzt, die Altstadt allein auf 80 Hektar.

Das Ende der Přemysliden: Mit Beginn des 14. Jahrhunderts endete die Herrschaft der Přemysliden in Böhmen – Wenzel III. starb bereits im Kindesalter. Eine Zeitlang regierte der Schwager Wenzels II., Heinrich von Kärnten, dann Rudolf von Habsburg und danach wieder Heinrich.

Die Zeit war geprägt von Unruhen und politischen Machtkämpfen, an denen sich nun auch das Prager Patriziat mit wechselndem Erfolg beteiligte. Die Stadt wurde mehrmals belagert, verwüstet und geplündert. 1310 wählten Adel und Klerus Johann von Luxemburg (1296-1346) zum neuen König; am 31.8.1310 heiratete er Elisabeth, die jüngere Schwester Wenzels II., und wurde noch am gleichen Tag von seinem Vater Heinrich VII. mit Böhmen belehnt. Johann betrieb eine intensive – und kostspielige – Reichspolitik und hielt sich fast durchwegs im Ausland auf. Die Prager Burg verfiel zunehmend. Die Stadt aber konnte sich von Johann mehrere Privilegien erkaufen, u.a. das schon erwähnte Rathaus.

Kaiser Karl IV.: Eine besondere Vorliebe für Prag hegte dagegen Johanns Sohn Karl IV. Karl wurde 1316 geboren und auf den Namen Wenzel getauft; erst zu seiner Firmung wählte er sich Karl den Großen zu seinem persönlichen Patron und wechselte den Namen. Bereits im Alter von vier Jahren entfernte Johann den kleinen Karl von seiner Mutter, die sich 1319 mit führenden Prager Patriziern gegen Johann und einen Teil des Adels verschworen hatte. 1323 brachte Johann den jungen Wenzel nach Paris, wo Petrus Rogerii – der spätere Papst Clemens VI. – seine Erziehung übernahm. 1333, nach seiner Firmung, kam Karl, nach einem kurzen Intermezzo in Italien, als Statthalter seines Vaters nach Prag zurück und ließ die heruntergekommene Burg nach französischem Vorbild neu errichten. Erst

Vorhergehende Seite: Auszug aus der „Goldenen Bulle" Karls IV. **Links:** Karl IV. auf einem Votivbild von Johann Ocko.

1340 übernahm Karl, im Alter von 24 Jahren und mit ständischer Anerkennung, endgültig die Regentschaft der böhmischen Kronlande von seinem inzwischen erblindeten Vater. 1347 wurde er zum böhmischen König gekrönt und 1349 – nach dem Tod seines Konkurrenten Ludwigs des Bayern – zum zweitenmal und diesmal einstimmig zum deutschen König gewählt und am 25. Juli 1349 in Aachen gekrönt.

Er wählte sich Prag zum Sitz der Reichsresidenz und setzte alles daran, die Stadt nicht nur zum politischen, sondern auch kulturellen Zentrum Mitteleuropas auszubauen.

Peter Parler – Baumeister des Kaisers: Bereits 1344 hatte Karl IV. über seine guten Beziehungen zu Clemens VI. die Erhöhung des Bistums Prag zum Erzbistum erreicht; noch im gleichen Jahr wird mit dem Bau des St.-Veits-Domes über den Resten der ehemaligen Basilika begonnen. Auch hier verweist die Konzeption des Domes als dreischiffige Kathedrale auf den französischen Einfluß. Als Baumeister gewann Karl den damals sehr berühmten Matthias von Arras. Nach dessen Tod im Jahre 1352 führte die Baumeister- und Bildhauerhütte Peter Parlers (1332/33-1399) den Bau fort. Unter seiner Leitung entstanden die berühmte Triforiengalerie, der Chor, der Südturm, vor allem die Gewölbe, für die Parler berühmt war. Ganz auf Parler zurück gehen die Wenzelskapelle und das Goldene Tor, die eine bis dahin nicht erreichte Synthese von Architektur und Bildhauerkunst darstellen. Nach Vollendung des St.-Veits-Domes wurde Parler mit der Fertigstellung der Kirche Maria vor dem Teyn beauftragt. Ebenso von Parlers Bauhütte entworfen und ausgeführt wurden das Fischblasen-Maßwerk am Fenster der Martinic-Kapelle, der Altstädter Brückenturm sowie die Kirche am Karlshof, die der Palastkapelle Karls des Großen in Aachen nachempfunden ist. 1357 wurde unter Parler mit dem Bau der 516 Meter langen Karlsbrücke begonnen.

Peter Parler war wohl der bedeutendste Architekt seiner Zeit. Sein Stil, der weit über

Prag hinaus Nachahmung fand, verweist bereits deutlich auf die weiteren Entwicklungen in der Renaissance-Baukunst.

Erste Universität im mittleren Europa: An kultureller Bedeutung gewann Prag besonders durch die Errichtung seiner Universität – der ersten in Mitteleuropa. Am 26.2.1347 erteilte Clemens VI. die „licentia docendi" für ein Studium generale an vier Fakultäten (Theologie/Philosophie, Medizin, Jura und die Sieben Freien Künste); am 7.4.1348 erließ Karl IV. die Gründungsurkunde. Die Karls-Universität sollte überregional Gelehrte und Studenten aus dem ganzen Reich zusammenführen und hatte eine ähnliche

Judenstadt gehalten; erst um 1366 erfolgte der Umzug ins Carolinum am ehemaligen Obstmarkt. Karl, selbst literarisch tätig und einer der wenigen gebildeten mittelalterlichen Herrscher, verstand es, führende Denker und Gelehrte seiner Zeit um sich zu sammeln. Prag gehörte im 14. Jahrhundert zweifellos zu den kulturell wichtigsten Zentren Europas: zu Karls IV. frühhumanistischem Kreis zählten Persönlichkeiten wie Cola di Rienzi, Ernst von Pardubitz, später Erzbischof von Prag, und der berühmte Johann von Neumark. Als Kanzler Karls trug er maßgeblich zur Verbreitung der neuhochdeutschen Sprache bei und wurde

Verfassung wie die Pariser Universität, an der Karl studiert hatte. Sie war in vier „nationes" gegliedert, eine böhmische, bayerische, sächsische und polnische, was jedoch nicht die konkreten Völkerschaften meinte, sondern die nächsten Nachbarn stellvertretend für die vier Himmelsrichtungen nannte. Die „nationes" waren insofern von Bedeutung, als jede für alle Beschlüsse der Universität über eine Stimme verfügte und die Stellen des Rektors und Kanzlers abwechselnd von einer der vier Völkerschaften zu besetzen waren.

Die Vorlesungen wurden anfangs in Kirchen und im „Haus des Lazarus" in der

als Übersetzer lateinischer Gebete und Bibeltexte bekannt.

Eine Meisterleistung der Stadtplanung: Am entschiedensten aber prägte Karl IV. Prag durch die Gründung der Neustadt *(Nové Město),* mit der sich ihre Grundfläche fast verdoppelte. Sie erstreckte sich vom Südosten der Altstadt in einem Ring zum Fluß unterhalb des *Vyšehrad* und zum *Poříčí.* Diese Fläche schloß einige kleinere Ansiedlungen und mehrere Klöster ein, darunter das Karmeliterkloster mit der Maria-Schnee-Kirche und das Emmauskloster, die sich, 1347 gegründet, in ihrer Lage und Ausrichtung in den Grundriß der künftigen

Neustadt einfügten; ebenso 1347 erfolgte die Grundsteinlegung zum Karlshof.

Aus diesem Jahr sind auch die ersten Verlautbarungen über die Gründung einer neuen Stadt erhalten, deren Anlage „gründlich durchdacht und gut beraten" sein müsse. Zwar sind weder die Pläne noch der Name des Baumeisters überliefert, doch verweist eine Analyse des Grundrisses der Stadt, die bis ins 19. Jahrhundert fast unverändert blieb, deutlich auf den gestalterischen Willen weitsichtiger Planung. Am 8.3.1348 erließ Karl – wohl am Tag der Grundsteinlegung für den Bau der Stadtmauer – das Gründungsprivileg. Siedler, die sich in der

platz (ehemaliger Viehmarkt) zentriert, während der nördliche durch die *Hybernská*, die ehemalige Handelsstraße, dominiert ist; der untere Teil, die Täler und Hänge der früheren Siedlung Slup, wo sich Pflanzungen und Weingärten befanden, blieb weitgehend unbebaut. Nach Karls Wunsch sollte die Neustadt, die zunächst mit der Altstadt zusammengelegt wurde, 1377 jedoch wieder getrennt werden mußte, sich gestalterisch an die Struktur der Altstadt anschließen; in der Konzeption sind klar die – im Mittelalter sehr beliebten – arithmetischen Entsprechungen zur Gallus-Stadt rekonstruierbar. In ihren Richtungen bestimmt wird

Neustadt niederlassen wollten, erhielten die Grundstücke zugewiesen und hatten als Gegenleistung für Steuererleichterungen ihre Häuser innerhalb von nur 18 Monaten fertigzustellen.

Die Neustadt ist in vier großen Einheiten konzipiert: der mittlere Teil zeigt eine geometrische Konstruktion um den Wenzelsplatz (ehemaliger Roßmarkt), der die Achse bildet; der südliche Teil ist um den Karls-

die Neustadt durch die Straßen *Ječná* und *Hybernská* sowie den Wenzelsplatz, der mit deren Verlängerungen einen Winkel von 45 Grad einschließt. Der Wenzelsplatz wiederum trifft senkrecht auf das Achsensystem der Gallus-Stadt. In Verbindung zur Altstadt bezeichnen die Türme von St. Stefan und St. Jakob die Nord-Süd-Achse der Stadt. Auf dem höchsten Punkt erhebt sich der Karlshof über Prag, ein Zeichen mittelalterlicher Frömmigkeit, welche die Demut der Menschen auch in der Erhöhung der Sakralbauten widerspiegeln soll.

Links: Karl IV. mit den Reichsinsignien. Oben: Das Siegel der Karls-Universität, der ältesten Universität Mitteleuropas.

Erstaunlich ist vor allem die Großzügigkeit der Planung: die Gerstengasse *(Ječná)* hat eine Breite von 27 m, und der Karlsplatz ist mit einer Länge von 520 m und einer Fläche von 8 ha der größte Platz Europas. Die Bautätigkeit beschränkte sich aber nicht auf den Ausbau der Burg und die Anlage der Neustadt: Am linken Ufer vergrößerte Karl mit dem Bau einer neuen Stadtmauer die Fläche der Kleinseite erheblich. Ebenso wurde die Siedlung am Hradschin befestigt; ein Teilstück dieser Befestigung wird „Hungermauer" genannt, denn nach der Überlieferung ließ Karl diese Mauer in einer Zeit großer Not errichten, um einem Mangel an Beschäftigung entgegenzuwirken. Um die gleiche Zeit setzt die Bebauung des

liches System von Wasserleitungen. Prag war zur Reichsresidenz, zum Erzbistum und Legatensitz sowie zur Universitätsstadt aufgestiegen. Auf Grund dieser enormen politischen und kulturellen Bedeutung vermochte Prag die wirtschaftlichen Nachteile, die der Stadt seit der Verlegung der Fernhandelswege die Donau entlang entstanden waren, durch Luxusgüterproduktion auszugleichen. Die Abhängigkeit der städtischen Wirtschaft von außerökonomischen politischen Faktoren nahm aber trotz intensiver Bemühungen Karls weiter zu. Die uneinheitliche Sozialstruktur, in erster Linie bedingt durch die sozialen und nationalen

Petřín-Hügels ein. Auch in der Altstadt wird der in den dreißiger Jahren einsetzende Bau-Boom fortgesetzt: Ihm verdankt Prag den Wiederaufbau des Klosters und der Kirche St. Jakob, den Umbau der Kirchen St. Ägidius, St. Martin, St. Castullus, St. Gallus, St. Nikolaus sowie den Neubau der Heiliggeist-Kirche, um nur die wichtigsten zu nennen.

Nach dem großen Aufschwung unter Karl bestand Prag gegen Ende des 14. Jahrhunderts aus zwei Burgen, vier Städten mit einer Fläche von 800 Hektar und über 50.000 Einwohnern; im Stadtgebiet befanden sich rund 100 Klöster, Kapellen und Kirchen, mehrere Dutzend Märkte und ein ansehn-

Widersprüche sowohl unter den Siedlern als auch zwischen den Bewohnern der Alt- und der Neustadt, gipfelte 1377 in der Trennung der beiden Städte. Als Karl IV. am 29.11. 1378 starb, hinterließ er in Prag nicht nur jede Menge Baustellen, sondern auch viele schwelende Probleme.

Im Schatten seines Vaters – Wenzel IV.: Karls Sohn Wenzel IV. (1378-1419), der die Nachfolge Karls im Reich und in Böhmen antrat, hatte im Reich eine starke politische Opposition gegen sich und mußte einen bedeutenden Macht- und Autoritätsverlust hinnehmen. Damit verlor Prag an Bedeutung und Glanz: die Bauarbeiten kamen bald ins Stocken, wirtschaftliche Schwierigkeiten traten auf und führten zu einer Depression, die auch soziale Unruhen nach sich zog. Der Unmut weiter Teile der Bevölkerung, vor allem der ärmeren tschechischen Bewohner der Neustadt, richtete sich gegen das reiche – meist ausländische – Patriziat der Altstadt und besonders gegen den Klerus.

Ganz allgemein wuchs im Europa des 14. Jahrhunderts der Unwille gegen den Luxus und den oft nicht sehr moralischen Lebenswandel in den Klöstern. In Prag war es schon unter Karl IV. mehrmals zu herber Kritik – auch aus den eigenen Reihen – gekommen.

Gegen Ende des 14. Jahrhunderts predigten besonders Konrad Waldhauser (gest. 1369), Jan Milíč Kroměříž (gest. 1374) gegen den Luxus und die Unmoral der Ordenspriester. 1391 wurde die Bethlehemskapelle gegründet, die sich schon mit ihrer schlichten äußeren Gestalt – die Kapelle wurde in den Jahren 1950-53 originalgetreu wieder aufgebaut – von den kritisierten Zuständen absetzte. Im März 1402 begann in dieser Kapelle

Links: Jan Hus auf dem Weg zum Scheiterhaufen in Konstanz. Oben: Stand im Schatten seines Vaters Karl: Wenzel IV.

Jan Hus (1369/70-1415) mit seinen Predigten gegen die Verweltlichung der Kirche. Die 45 Sätze des englischen Theologen John Wiclif (1328-1384) beeinflußten nachhaltig die Reformideen des Jan Hus, der eine Wiedererweckung der Kirche aus der Rückbesinnung auf die Bibel und eine Annäherung zwischen Geistlichkeit und Laien forderte. Hus fand mit seinen Ideen bei den Bürgern, aber auch bei Wenzel IV., großen Anklang. Beim Klerus aber, der um seine Macht fürchtete, stieß der Reformator auf entschiedene Ablehnung.

Johannes Hus: 1398 wurde Hus als „magister primarius", als Philosophieprofessor, an die Universität berufen, wo er seine Reformideen ebenfalls vertrat. Hus unterlag aber in einer Abstimmung der „nationes": die meisten Magister verurteilten seine und Wiclifs Thesen. 1409 erreichte der Streit, der längst nicht mehr nur rein theologischer Natur, sondern auch national motiviert war, seinen vorläufigen Höhepunkt. In diesem Jahr erwirkte Hus von seinem Gönner Wenzel IV. das „Kuttenberger Dekret", das der böhmischen Nation an der Universität die Stimmenmehrheit zugestand. Die deutschen Magister zogen nach Protestäußerungen geschlossen aus Prag aus und setzten auf Reichsebene eine Kampagne gegen die Prager Universität in Gang. Gleichzeitig reagierten der Prager Klerus – und mit der sozialpolitischen Wendung der hussitischen Ideen unter Jan Želivsky auch das Patriziat – mit Verhaftungen und Repressionen gegen Hus und seine Anhänger.

Am 30.7.1419 eskalierte der Konflikt, als eine aufgebrachte Menge unter Führung Želivskys zum Neustädter Rathaus zog und die Freilassung verhafteter Hussiten forderte. Als die Konsuln dies verweigerten, stürmten die aufgebrachten Bürger das Rathaus und eröffneten damit die Tradition von Prager Fensterstürzen, indem sie drei Konsuln und sieben andere Bürger, die das Rathaus verteidigten, aus dem Fenster warfen. Die Unruhen breiteten sich weiter aus und konnten auch von königlichen Truppen nicht mehr unter Kontrolle gebracht werden. Die Hussiten hatten bald das Rathaus besetzt und wählten eigene Konsuln; Wenzel schritt dagegen nicht mehr ein und bestätigte im August diese Wahlen.

Es war vor allem der tschechische Adel, der in der Hussitenrevolution den Sieg davontrug. In den dreißiger Jahren des 15. Jahrhunderts waren die katholischen Statthalter vertrieben, die kirchlichen Güter konfisziert, Prags Selbstverwaltung gefestigt; dies war ein Triumph der böhmischen Stände. Im Prager Stadtrat durften nur Tschechen hussitischen Glaubens mitbestimmen. Mit den sogenannten Prager Kompaktaten hatte Rom zwar die religiöse Freiheit zugesichert. Aber die katholische Kirche lag schon auf der Lauer; Prag würde ihrer Macht nicht lange trotzen können.

Doch zuvor sollte das Prager Volk noch seinem ersten Hussitenkönig zujubeln. 1458 wurde Georg von Poděbrad gekrönt. Ein Tscheche, ein Utraquist, wurde für 13 Jahre böhmischer König, und das von der Revolution zerstörte, wirtschaftlich angegriffene Prag blühte auf. Georg ließ die Türme der Teynkirche und den Kleinseitener Brückenturm bauen. Für mehr hatte er keine Ruhe, Rom hetzte gegen den „Ketzerkönig".

Unter Georgs Nachfolger, dem Polenprinzen Wladislaw (1471), kam es zu einem weiteren Prager Fenstersturz. Wladislaw hatte die Katholischen zurückgeholt. Diese saßen im Altstädter Rathaus und wappneten sich gegen die Utraquisten. Doch dann wurden dunkle Pläne publik. Und in der Nacht vom 25. zum 26. September 1483 stürmte das Volk das Rathaus, warf den Wortführer, den Altstädter Bürgermeister, aus dem Fenster. Noch einmal gab es eine Einigung zwischen Katholiken und Utraquisten: 1484 mit dem Kuttenberger Religionsfrieden. Die Unruhen von 1483 hatten König Wladislaw, der im Altstädter Königshof residierte, angst und bange gemacht. Er wählte die arg zerfallene Burg zur Wohnung und renovierte sie. Das Prunkstück seines Baumeisters Benedikt Rieth (1454-1534) ist

der Wladislawsaal, in den neben der bis dahin in Prag bekannten Spätgotik zum erstenmal die Renaissance Einzug hielt.

Spaltung durch Martin Luthers Lehren: Es waren dann die Lehren Martin Luthers, die in der ersten Hälfte des 16. Jahrhunderts die Utraquisten spalteten: Die Alt-Utraquisten waren gegen die deutsche Reformation, die Neu-Utraquisten dafür. Und auf der Burg fand der Katholizismus in Wladislaws Sohn

Ludwig, der seit 1516 regierte, seine Stütze. Nach dem frühen Tod Ludwigs wählten die zerstrittenen Stände 1526 einen neuen König. Sie trafen eine verhängnisvolle Wahl: König von Böhmen wurde der österreichische Erzherzog Ferdinand I. von Habsburg (1526-1564). Prag wurde zur wichtigsten Stütze der Wiener Herrschaft, und Rom fand wieder offene Türen gegen den Utraquismus. Die hussitische Ära stand vor dem Niedergang. Schon bald lag Ferdinand mit den böhmischen Ständen im Streit.

Es war Ferdinand I., der mit dem Lustschloß Belvedere der Renaissance in Prag zum Durchbruch verhalf. Das Belvedere auf

Vorhergehende Seiten: Ansicht von Prag um 1493. Links: Van-Dyck-Porträt des Feldherrn Wallenstein. Oben: Unter Rudolf II. erlebte Prag eine neue Blüte.

dem Hügel gegenüber dem Hradschin wurde Vorbild für die Paläste des Adels.

So baute etwa Johann von Lobkowitz auf dem Platz der Burg seinen Palast im modernen italienischen Baustil. Das Gebäude ging später an die Schwarzenbergs über. Diesen Namen trägt es heute noch als Museum für Kriegsgeschichte.

Der König will Rache: Als Ferdinand 1555 das Jagdschloß Stern auf dem Weißen Berg erbaute, hatte er sich Prag schon bedingungslos untertan gemacht. 1546 traten die Konflikte zwischen den evangelischen böhmischen Ständen und dem katholischen Regenten offen zutage. Ferdinand zog gegen

eine Erneuerung des Prager Erzbistums, das seit der Revolution nicht mehr besetzt war.

Die Rudolfinische Epoche: Doch schon 1583 sollte Prag zu neuem Ruhm kommen, zwar nicht mehr politisch selbständig, aber als Habsburger Residenz. Rudolf II. (1576-1611) verlegte seinen Sitz in die Moldaustadt. Die Rudolfinische Epoche wird von vielen Historikern mit der Prager Glanzzeit unter Karl IV. verglichen. Es kam Leben in die Stadt: Diplomaten, politische Beobachter, Abenteurer, Händler aus aller Welt, Handwerker, Berufssoldaten, Wissenschaftler, Musiker und viele Künstler folgten dem Regenten. Und während Rudolf sich

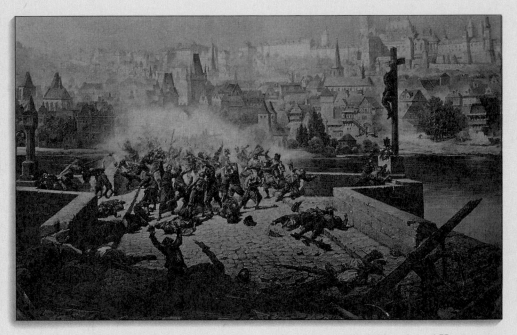

die protestantischen deutschen Fürsten in den Krieg. Die Stände in Prag verweigerten ihre Unterstützung beim Kampf gegen die Glaubensbrüder. Doch der König kehrte siegreich zurück, mit einem einzigen Gedanken im Kopf: Rache! Am 8. Juli 1547 fielen die Söldner Ferdinands über Prag her, nie mehr sollte der Gehorsam verweigert werden. Ferdinand nahm Prag alle Privilegien aus der glorreichen Hussitenrevolution. Prag wurde zum Vasallen Habsburgs. Das Gemeindeeigentum mußte abgetreten werden. Und der Rückkehr der katholischen Kirche zur Macht im Protestantenland war der Weg geebnet. Ferdinand erwirkte 1561

seiner Leidenschaft hingab und Kunst sammelte, schwelten – von der Burg aus kaum beachtet – die politischen und religiösen Konflikte weiter. Derweil hortete Rudolf mit Vorliebe Werke der bildenden Kunst: Dürer und Pieter Brueghel der Ältere waren seine Lieblingsmaler. Was er im Original nicht erwerben konnte, ließ er von Jan Brueghel und Pieter dem Jüngeren kopieren. Auch Gemälde von anderen Vertretern der Renaissance stapelte Rudolf in seiner Burg: Tizian, Leonardo, Michelangelo, Raffael, Bosch und Correggio. Außerdem hatten es dem Kaiser Kuriositäten und Raritäten aller Art angetan. Ein Inventar verzeichnete:

„...in den zwei oberen Fächern allerlei seltsame Meerfische, darunter eine Fledermaus, eine Schachtel mit vier Donnersteinen, zwei Schachteln mit Magnetsteinen, und zwei eiserne Nägel, sollen von der Arche Noah sein, ein Stein der da wächst, vom Herrn von Rosenberg, zwei Kugeln von einer siebenbürgischen Stute, eine Schachtel mit Alraunwurzel, ein Krokodil in einem Futteral, ein Monstrum mit zwei Köpfen..." Trotz seiner etwas wahllosen Sammelwut machte Rudolf II. Prag zu einer „Kunst- und Schatzkammer Europas". Leider sollte vieles später im Dreißigjährigen Krieg verlorengehen. Gebaut wurde damals wenig. Die Jesuiten

Matthias, fiel den protestantischen Ständen noch einmal ein As in die Hände. Rudolf, von Matthias bedrängt, mußte ihnen Zugeständnisse machen. So erstritten die Stände 1609 von ihrem Herrscher den Majestätsbrief über die Religionsfreiheit. 1611 mußte Rudolf nach einem mißglückten Angriff auf Prag die böhmische Krone an seinen Bruder Matthias abtreten. Kaum ein Jahr später starb Rudolf II. allein auf der Burg inmitten seiner Sammlung, einer wahren und in ihrem Wert unschätzbaren Kunstkammer Europas.

Der Dreißigjährige Krieg: In allen Epochen gibt oder gab es auf der Welt Städte und

begannen 1578 mit der großen Salvatorkirche. Konstruktion und Aufbau hielten sich noch an die alten gotischen Überlieferungen, bei Fenstern und Gesimsen, Profilen und auch im Gewölbe setzten sich moderne Formen durch.

Die große Kirche der Jesuiten war ein Wahrzeichen des erstarkenden Katholizismus in Prag. Mit dem Konflikt zwischen Rudolf II. und seinem Bruder, Erzherzog

Links: Prags Kampf gegen die Schweden auf der Karlsbrücke (1648). Oben: Die Ermordung Wallensteins in Eger (1634).

Gebiete, wo politische Beobachter den Puls der Zeit deutlicher schlagen hören als anderswo. Ein solcher Ort muß Prag zu Beginn des 17. Jahrhunderts gewesen sein. Der Widerspruch zwischen Habsburg und den böhmischen Ständen, zwischen Katholiken und Protestanten spiegelte deutlich die politischen Verhältnisse in ganz Europa. Ja, nirgendwo hatte der Konflikt eine solche Tradition. So durfte es dann auch niemanden wundern, daß sich in Prag die dunklen Kriegswolken zuerst entluden, die sich in ganz Europa zusammengezogen hatten.

„Werft sie nach alt-tschechischem Brauch aus dem Fenster", soll einer gerufen haben am 23. Mai 1618. Die Vertreter der böhmischen Stände waren wutentbrannt in die Hofkanzlei der Prager Burg gestürzt. Auf dem Lande hätten sie die protestantischen Kirchen angezündet. 1617 war der Protestantenvertreiber Ferdinand von der Steiermark zum böhmischen König gekrönt worden. Sechzehneinhalb Meter tief in den Burggraben fielen Graf Martiniz, Statthalter Slavata und Geheimschreiber Philipp Fabricius, und keiner war tot. Ganz Prag tobte. Es begann der Dreißigjährige Krieg. Prag war das Zentrum der Rebellion.

Ein Jahr nach dem Fenstersturz entledigten sich die böhmischen Stände Ferdinands

Joseph II Empereur des Romains

II. und machten Friedrich V., Kurfürst von der Pfalz, zum König von Böhmen. Aber Ferdinand II., der Habsburger Kaiser mit Sitz in Wien, würde es ihnen heimzahlen.

Die Schlacht am Weißen Berg: Am 8. November 1620 stand die vereinigte Armee des Kaisers und der Katholischen Liga auf dem Weißen Berg vor Prag dem Heer der Ständischen gegenüber. Schlechte Aussichten für Böhmen: In wenigen Stunden war die Schlacht entschieden. Die Ständeregimenter flohen in die Prager Stadtmauern, König Friedrich in die Niederlande. Die feindlichen Truppen plünderten wochenlang die Stadt, die Schäden ließen sich nur in Millio-

nen Gulden schätzen. Eine furchtbare Rache. Die vermeintlichen Führer des Aufstandes wurden verhaftet und verurteilt: Tod durch das Schwert, den Strang, Herausschneiden der Zunge, Vierteilung, Abhakken der Hände. Schon bevor die Hinrichtungen vollzogen wurden, setzte der Kaiser die katholischen Geistlichen wieder ein. Am 21. Juni wurden 15 Prager und zehn Adlige sowie zwei Bürger von anderen Ständen auf dem Altstädter Ring hingerichtet. Die Köpfe von zwölf Direktoren befestigte man als Mahnmal an eisernen Haken auf dem Altstädter Brückenturm. Grausame Sühne für den Fenstersturz. Noch im selben Jahr mußten alle nichtkatholischen Geistlichen Prag verlassen. Der Kaiser hatte den Majestätsbrief Rudolfs eigenhändig zerrissen. Etliche Prager Familien gingen in den folgenden Jahren in die Emigration. Prag und die böhmischen Stände wurden wieder katholisch und aller Rechte beraubt.

In den 30 Kriegsjahren entstanden nur wenige neue Gebäude in Prag. Zu erwähnen ist der Palast Albrecht von Wallensteins (Waldstein) auf der Kleinseite, der in den Jahren 1624-1630 auf einem Areal gebaut wurde, auf dem vorher 23 Häuser, eine Ziegelei und drei Gärten gestanden hatten. Der Barock hielt Einzug. In der Kirchenbaukunst gehörten zur Barockepoche: die St.-Nikolaus-Kirche auf der Kleinseite (1703-1755), die St.-Nikolaus-Kirche in der Altstadt, die St.-Katharinen-Kirche in der Neustadt (1737-1741), die Heilige-Dreifaltigkeits-Kirche in der Neustadt (1720). Der berühmteste Baumeister des Barock war Kilian Ignaz Dientzenhofer.

Unter Maria Theresia (1740-1780) und Josef II. (1780-1790) gab es wieder Religionsfreiheit in Prag. Die Herrscher hatten eingesehen, daß die kirchlichen Institutionen dem kulturellen Fortschritt entgegenstanden. Josef II. erließ 1781 das Toleranzpatent. Die Ära der Religionskämpfe war zu Ende. Aber war es nur Religionsfreiheit, was die böhmischen Stände gefordert hatten? Erinnern wir uns an die dreißiger Jahre des 15. Jahrhunderts, die Errungenschaften der Hussiten-Revolution; nur Tschechen durften damals in den Stadtrat. 400 Jahre später besannen sich die Prager wieder auf ihr Nationalbewußtsein.

Es war der Prager Fenstersturz am Vorabend des Dreißigjährigen Kriegs, mit dem das tschechische Nationalbewußtsein nach der Hussitenrevolution noch einmal aufbegehrte. Und es war die Schlacht vom Weißen Berg 1620, die es völlig zerschlug. Zwölf Köpfe hingen auf dem Brückenturm, das grausame Symbol für die Zerstörung der tschechischen Kultur.

In den folgenden Jahrhunderten verschwand die tschechische Sprache aus den Ständen, die Tschechen wurden ein Volk von Bauern, Kleinhandwerkern und Dienstboten. Die Oberschicht aus Adel und Bürgertum war im 18. Jahrhundert deutsch. Die unterschiedliche Sprache machte die Verständigung zwischen Volk und Verwaltung oft unmöglich. So befahl Maria Theresia, daß Justiziäre und Beamte der „Volkssprache" kundig sein müßten. Die Lehrer unterrichteten wieder tschechisch.

Die tschechische Sprache kehrt zurück: Das Ende des 18. Jahrhunderts war die große Zeit des Theaters in Prag. Schon 1771 gab es die erste tschechische Vorstellung. 1781 bis 1783 war das Nostitz-Theater von Graf Anton Nostitz-Rieneck erbaut worden (heute das Tyl-Theater). Und während die deutsche Oberschicht zur Eröffnung des Theaters Lessings *Emilia Galotti* und 1787 Wolfgang Amadeus Mozarts *Don Giovanni* zujubelte, kämpften die Tschechen um Nachmittagsvorstellungen im Großen Haus. 1785 gab es für kurze Zeit eine Genehmigung, bald darauf wurde das Tschechentheater im Nostitz wieder verboten.

Die tschechischen Gruppen zogen dann am Roßmarkt in die Bouda – die Bude –, ein kleines hölzernes Theater, ein. Auch wenn die tschechische Nation erst 60 Jahre später die Bühne der Geschichte betreten sollte, das Tschechische ließ sich nicht mehr unterdrücken. Es gab wieder tschechische Bücher, Zeitungen, und an der Universität wurde wieder tschechisch gelehrt.

Die industrielle Revolution: 1833 hatte der Engländer Edward Thomas in Karlín mit der Produktion von Dampfmaschinen begonnen. Mit der rasanten wirtschaftlichen Entwicklung der industriellen Revolution entstand in und um Prag das Industrieproletariat, der Anteil der tschechischen Bevölkerung in der Hauptstadt Böhmens nahm zu. Die Spannungen zwischen Deutschen und Tschechen wuchsen. Aber zuerst gab es noch einen gemeinsamen Feind: den allmächtigen Wiener Staatskanzler Metternich. Im Revolutionsjahr 1848 gingen Deutsche und Tschechen für die demokratischen bürgerlichen Rechte zum letztenmal gemeinsam auf die Barrikaden.

Und doch waren die Ziele nicht mehr die gleichen, den Tschechen ging es eigentlich nicht mehr um die böhmische, sondern um die tschechische Freiheit. Im Februar 1848 war Revolution in Paris, am 13. März in Wien, Metternich trat zurück. Jubel in Prag. Doch es war geteilter Jubel: Die Deutschen wollten die Einladung des Frankfurter Parlaments annehmen, die Tschechen wollten einen eigenen Staat in einem föderalistischen österreichischen Kaiserstaat.

Blutiger Slawenkongreß: Beim Slawenkongreß am 2. Juni im Prager Museumsgebäude hieß die Forderung: Gleichberechtigung aller Nationalitäten. Kopf der Bewegung war der Tscheche František Palacký: „Entweder bringen wir es dahin, daß wir mit Stolz sagen können, ,Ich bin Slawe', oder wir hören auf, Slawen zu sein." Der Kongreß nahm ein böses Ende. Nach der slawischen Messe schossen Prager Wachen in die Menge, und in blutigen Straßen- und Barrikadenkämpfen wurde die nationalistische Bewegung niedergeschlagen.

Ab dem Jahre 1849 geriet die bürgerliche Revolution in allen Nationen Österreichs unter die Knute des Absolutismus. Die tschechische Sprache wurde sogar wieder aus den Ämtern zurückgedrängt. Doch nach dem Krieg Frankreichs und Italiens gegen

Vorherige Seiten: Josef II., der Sohn Maria Theresias, der Kaiserin Österreichs und Königin von Böhmen (1717–1780). Rechts: Tomáš Masaryk, der Gründer der Republik (1918).

die österreichische Monarchie war der Absolutismus am Ende. Am 5. März 1860 wurde der „verstärkte Reichsrat" einberufen. Dort saßen neben den vom Kaiser ernannten Mitgliedern auch Ländervertreter. Und während 1861 ein Tscheche Prager Bürgermeister werden konnte, begünstigte auf nationaler Ebene der Kaiser die Deutschen Böhmens. Auch belohnte der Herrscher nicht die Treue des tschechischen Volkes beim Kampf um die Vorherrschaft in Deutschland, den Österreich 1866 mit Preußen ausfocht. Es gab keine tschechische Gleichberechtigung, geschweige denn die Autonomie.

gann der Bau des Rudolfinums, und seit 1893 steht auf dem Roßmarkt, dem heutigen Wenzelsplatz, das böhmische Nationalmuseum. 1882 wurde die Universität in eine deutsche und eine tschechische geteilt.

Beim Ausbruch des Ersten Weltkrieges bestand eine tiefe Kluft zwischen Deutschen und Tschechen. Während nach den Schüssen vom 28. Juni 1914 in Sarajewo Österreich und Ungarn mobil machten, verhandelten in Wien deutsche und tschechische Parteien Böhmens um eine Neugestaltung der Landesordnung, die Landtagswahlreform mit gleichem Wahlrecht für alle und die Regelung des Sprachgebrauchs. Damals

„Libuše" im Nationaltheater: Nur kleine Siege konnten die Tschechen für sich verbuchen: So bekamen sie in Prag endlich ihr lang ersehntes Nationaltheater, das bis heute ein Sinnbild des tschechischen Nationalgefühls ist. Am 15. Juni 1881 wurde es mit der Festaufführung von Smetanas *Libuše* eröffnet. Zwar brannte das Theater am 12. August desselben Jahres völlig nieder, doch es wurde schnell wieder aufgebaut. 1876 be-

hatte kaum jemand – nicht einmal die Optimisten – daran gedacht, was fünf Jahre später wahr werden sollte: die tschechoslowakische Republik. Damals, vor dem Ersten Weltkrieg, kämpften die Tschechen noch mit den Deutschen für Gleichberechtigung, fünf Jahre später sollten sie die Regierung ihres eigenen Staates übernehmen.

Die tschechoslowakische Republik war das Verdienst der Emigranten Masaryk, Beneš und Štefánik. Sie hatten es während der Kriegsjahre verstanden, den Politikern der Westalliierten klarzumachen, daß ein starker slawischer Block zwischen dem Deutschen Reich und Österreich notwendig sei.

Oben: Vor einem Geschäft in der Judenstadt um 1900. Rechts: Edvard Beneš, Staatspräsident der ersten Republik und nach 1945.

PROTEKTORAT BÖHMEN UND MÄHREN

Jubel in den Straßen: Am 28. Oktober 1918 wurde in Prag der tschechoslowakische Staat ausgerufen. Doch noch standen die Grenzen nicht fest: Die Sudetendeutschen strebten in Richtung Deutsch-Österreich, der Anschluß der Slowakei an die ČSR war noch nicht entschieden, und Polen beanspruchte die Kohlelager im ehemaligen Herzogtum Teschen. Am 14. November wurde Tomáš Masaryk zum Präsidenten der

Forderung nach „nationaler Autonomie für die Slowakei" sorgte innenpolitisch für ständige Unruhe. Noch schlimmere Folgen sollte die Einbeziehung des Sudetenlandes haben. Sie lieferte später Hitler einen willkommenen Vorwand zur Liquidierung der ČSR. Gemäß der Formel des amerikanischen Präsidenten Wilson über das Selbstbestimmungsrecht der Völker hatten die Abgeordneten der Sudetenländer am 29. Oktober

Republik gewählt und nach vier langen Exiljahren am 21. Dezember vom begeisterten Volk in Prag willkommen geheißen. Außenminister Edvard Beneš – der Nachfolger Masaryks im Präsidentenamt – nutzte geschickt die letzten Kriegswochen und die Zeit nach der Kapitulation Deutschlands. Die unsicheren Entente-Mächte hatten noch keine klare Vorstellung, wie Europa nach dem Krieg befriedet werden sollte. So hat der tschechische Außenminister 1918 die Einbeziehung der Slowakei in den tschechischen Staat erreicht, gegen den Widerstand Ungarns und den Willen der Bevölkerung, die ebenfalls die Autonomie anstrebte. Die

1918 eine „eigenberechtigte Provinz des Staates Deutsch-Österreich" ausgerufen. Tschechische Truppen antworteten gegen Ende des Jahres mit einer Besetzung der deutschen Siedlungsgebiete. Die Friedenskonferenz gab der ČSR recht: Ohne Volksabstimmung gingen die deutschen Gebiete an die ČSR. Auch die Teile von Teschen, die in die tschechischen Grenzen aufgenommen wurden, bereiteten später keine Freude. Überall im Land regte sich nach Versailles der Widerstand.

So sahen sich die Sudetendeutschen durch Sprachverordnung, Bodenreform, Benachteiligung des deutschen Schulwesens und der deutschen Industrie als unterdrückte Minderheit. Die wirtschaftlichen Auswirkungen des „schwarzen Freitags" am 4. Oktober 1929 trugen weiter zur Radikalisierung bei. Von 920.000 Arbeitslosen im Winter 1932/33 waren rund zwei Drittel Deutsche. Der Turnlehrer Konrad Henlein gründete 1933 die „Sudetendeutsche Heimatfront" (SHF). 1935 wurde die SHF als „Sudetendeutsche Partei" (SdP) zu den Wahlen zugelassen und rückte schon bald zum Sprachrohr der Bevölkerung in den Siedlungsgebieten auf. Es hatte nicht lange gedauert, bis Henlein mit Hitler in Kontakt stand. Nach einigen Jahren wurden er und

ke im tschechoslowakischen Staat glaubt." Im Herbst 1938 war dann der Zeitpunkt gekommen. Aus Furcht vor einem Krieg gaben Frankreich und England dem Drängen Hitlers nach. Am 29. September 1938 unterzeichneten Chamberlain, Daladier, Mussolini und Hitler das „Münchner Abkommen". Die Sudetengebiete gehörten damit zu Deutschland, die ČSR hatte man geopfert. Beneš ging am 22. Oktober nach England ins Exil, und am 14. und 15. März wurde das Schicksal der Tschechoslowakei besiegelt. Hitler rief den slowakischen „souveränen" Vasallenstaat aus und errichtete das Protektorat Böhmen und Mähren.

seine Partei zur Marionette des mächtigen Helfers. So kam es, daß die Forderungen der SdP im Laufe der Jahre immer radikaler wurden, daß nicht mehr der „Ausgleich", die Gleichberechtigung, angestrebt wurde, sondern immer deutlicher ein Anschluß an das Deutsche Reich. 1937 zog Henlein das Fazit, „daß heute selbst die breite Masse des Sudetendeutschtums nicht mehr an einen Ausgleich mit dem tschechoslowakischen Vol-

Ohne auf Widerstand zu stoßen, marschierten deutsche Truppen am 15. März in Prag ein. Die Zeit der schlimmsten Unterdrückung begann. Mit grausamer Härte gingen der Chef des Sicherheitsdienstes, Reinhard Heydrich, später (Heydrich starb nach einem Attentat) Generaloberst Kurt Daluege gegen die tschechische Intelligenz und das Bürgertum vor. Durch Artikel 2 des Protektoratsvertrages wurden Tschechen zu Menschen minderen Rechts gestempelt. Die tschechischen Universitäten wurden geschlossen. Akademiker bekamen Berufsverbot, Tausende wurden in Konzentrationslagern interniert.

Vorhergehende Seiten: Der Wenzelsplatz vor 1900. Links: Sudetendeutsche Frauen bejubeln Hitler. Oben: Bei der Überquerung der Grenze zur Tschechoslowakei.

Von der Volksdemokratie zur Sozialistischen Republik

Situation bei Kriegsende: In keinem europäischen Land waren nach 1945 die Voraussetzungen für den Weg zum Sozialismus von der Geschichte so überzeugend vorbereitet wie in der Tschechoslowakei. Vor dem Zweiten Weltkrieg zählte das Land zu den hochentwickelten europäischen Nationen mit einer modernen Leicht- und auch Schwerindustrie, einer leistungsfähigen Landwirtschaft und vor allem mit einem selbstbewußten, hochqualifizierten Proletariat sowie mit einer Schicht von gebildeten Menschen, Intellektuellen und Künstlern, die – wenn sie nicht Mitglieder der damaligen kommunistischen Partei waren – doch vorwiegend links oder linksliberal orientiert waren. Das Verhältnis der Tschechen zur Sowjetunion und zum Sozialismus war freundlich; seit der tschechischen nationalen Wiedergeburt in der ersten Hälfte des 19. Jahrhunderts sahen die Tschechen in den Russen den großen slawischen Bruder.

Die Tschechen haben im Zweiten Weltkrieg – abgesehen von zwei Exileinheiten, einer in England und einer zweiten in Rußland – gegen das nazistische Deutschland nicht gekämpft. Die Zahl der Opfer, die sie 1945 zu beklagen hatten, war im Vergleich mit den Polen, mit den Russen und Ukrainern zwar wesentlich niedriger, aber kein Volk in Europa hatte unter der Naziherrschaft einen so hohen Prozentsatz seiner gebildeten Schicht von Intellektuellen und Künstlern verloren wie die Tschechen. Die Nazis hatten nämlich in den Jahren 1939 bis 1945 im Protektorat Böhmen und Mähren planmäßig nicht das Volk, nicht die Arbeiter und auch nicht die technische Intelligenz, sondern die geistige Elite des Volkes systematisch ermordet.

Als im Mai 1945 der Zweite Weltkrieg zu Ende war, begrüßten die Tschechen die Soldaten der Roten Armee, die den wesentlichen Teil der Tschechoslowakei besetzt hatte, als Befreier und slawische Brüder.

Zeit des Stalinismus: Im Februar 1948 kamen die Kommunisten in der Tschechoslowakei durch einen unblutigen Umsturz an die Macht. Sie konnten damals immer noch mit der Unterstützung einer Mehrheit des tschechoslowakischen Volkes rechnen. Die große Enttäuschung ließ jedoch nicht lange auf sich warten: Sie hieß Stalin, der den

Tschechoslowaken erbarmungslos seine Abart von Sozialismus aufgezwungen hatte. Das Erwachen aus dem böhmischen Traum von einem gerechten Sozialismus war ziemlich grausam: In acht Jahren, von 1948 bis 1956, gelang es der tschechoslowakischen, inzwischen stalinistisch orientierten kommunistischen Partei, die Idee eines spezifisch tschechoslowakischen Weges zum Sozialismus gründlich und wahrscheinlich für lange Jahrzehnte zu kompromittieren. Die Herrschaft der Stalinisten hatte für die Tschechen und Slowaken verheerende Folgen: Ende der fünfziger und Anfang der sechziger Jahre machten sich in der Tsche-

Links: Großkundgebung auf dem Altstädter Ring. Rechts: Der „Prager Frühling" findet ein jähes Ende, der Traum vom menschlichen Sozialismus ist zerbrochen.

choslowakei Skepsis und Zynismus breit; an den Marxismus-Leninismus, an die Idee von einem gerechten Sozialismus, glaubte fast keiner mehr. 1963 war die Tschechoslowakei auch wirtschaftlich am Ende. Das, was man fünf Jahre später als den Prager Frühling bezeichnete, begann schon 1963 mit dem Scheitern des sogenannten Fünfjahresplanes und mit dem Fast-Zusammenbruch der gesamten Volkswirtschaft.

Literatur und Politik: In den Jahren vor dem Prager Frühling 1968 wuchs in der Tschechoslowakei eine von der Partei und ihren allmächtigen Überwachungsmechanismen unabhängige Literatur heran. Ich spreche von Literatur, denn der tschechische Schrift-

steller spielte seit der nationalen Wiedergeburt des tschechischen Volkes Anfang des 19. Jahrhunderts eine bedeutende Rolle.

In der Krise der tschechoslowakischen Gesellschaft am Anfang der sechziger Jahre waren es die Schriftsteller wie Jaroslav Seifert, die Lyriker Vladimír Holan, František Halas und andere, die als politische und moralische Funktionäre aus dem parteiamtlichen Lager treten mußten. Als es den

Oben: Repräsentant der Unterdrückung – Gustav Husák. Rechts: Alexander Dubček im Jahre 1968. Seine Idee vom Sozialismus mit menschlichem Antlitz ist aktueller denn je zuvor.

Tschechen und Slowaken spätestens 1965 klar wurde, daß es mit dem tschechoslowakischen Sozialismus nicht mehr so weitergehen konnte, fanden sie auf ihrer Suche nach einem festen Boden ihre dichtenden Künstler wieder. Das Programm eines Sozialismus mit menschlichem Antlitz wurde nicht von der kommunistischen Partei und nicht von verunsicherten Ideologen, sondern von Dichtern des Prager Frühlings 1968 formuliert.

Ein Traum scheitert: In der im Frühling 1968 von den Schriftstellern und von Dubčeks Reformkommunisten formulierten Forderung nach einem „Sozialismus mit menschlichem Antlitz" lag ein bitteres Zugeständnis: Bis zum Frühling 1968 hatte offenbar der Sozialismus in der Tschechoslowakei tatsächlich kein sehr menschliches Antlitz gehabt.

Der Traum von einer leistungsfähigen und gerechten sozialistischen Gesellschaft war in der Tschechoslowakei mit dem Scheitern des Prager Frühlings 1968 ausgeträumt. Die Helden des Prager Frühlings erwischte wieder einmal das böhmische Schicksal.

Die böhmische Geschichte ist voll von Absurditäten: 1968 hatte die Sowjetunion mit einer halben Million Soldaten dem tschechoslowakischen Sozialismus mit menschlichem Antlitz die Hoffnung zerstört. Zurückgeblieben waren Machtstrukturen eines totalitären, stalinistischen Staates, der sich zwar immer noch sozialistisch nannte, jedoch mit dem Ideal eines wahren Sozialismus, wie ihn die Prager Reformer unter Alexander Dubček verwirklichen wollten, nichts zu tun hatte.

Knappe zehn Jahre später, unter dem Einfluß der KSZE - Konferenz, gründete sich in Prag die Menschenrechtsgruppe Charta 77, deren Wortführer Václav Havel bereits zwei Jahre zuvor in einem offenen Brief an den damaligen Staatspräsidenten Husák schrieb: „...Vorläufig haben Sie den für Sie bequemsten und für die Gesellschaft gefährlichsten Weg gewählt: den Weg des äußeren Scheins um den Preis des inneren Verfalls,... den Weg der bloßen Verteidigung Ihrer Macht um den Preis der Vertiefung der geistigen und moralischen Krise der Gesellschaft und der systematischen Erniedrigung der menschlichen Würde."

Účastníci 1. světové války v průvodu

AŤ ŽIJE 1. MÁJ – SVÁTEK PRACUJÍCÍCH CEL

SCHRIFTSTELLER UND PRÄSIDENT

„Havel na Hrad – Havel auf die Burg" – Sprechchöre, Plakate, Flugblätter machen deutlich, was die Prager wollen. Nach den gewaltigen Veränderungen in den östlichen Ländern, nach Ungarn, Polen, der DDR und dem Umsturz in Rumänien, konnte sich auch die machtgierige Führung der CSSR nicht länger halten. Zu Hunderttausenden demonstrierten die Prager auf ihrem Wenzelsplatz, forderten: „Weg mit der Partei". Aber trotz der hartnäckigen Haltung der Mächtigen, dem gewaltigen Aufgebot an Polizei und Sicherheitskräften war die Menge nicht zu stoppen. Eines der letzten kommunistischen Systeme stand vor dem Zusammenbruch.

Nahtlos, nach 22 Jahren, knüpften die Proteste am historischen „Prager Frühling" an, forderten aber nicht nur einen menschlicheren Sozialismus, sondern eine freie Republik. Und was sich in Ungarn und Polen über Jahre hinwegzog, sich in Ostdeutschland auf wenige Wochen konzentrierte, in Prag sollte es sich eigentlich nur um Tage handeln. Das Ende des stalinistischen Machtapparates unter Führung von Parteichef Jakes, das Ende der gesamten KPC war eigentlich vorprogrammiert.

Gallionsfigur dieser Proteste wurde der Schriftsteller Václav Havel, Mitbegründer der Prager Menschenrechtsgruppe Charta 77. Nur wenige Monate zuvor wurde er verhaftet, weil er eine Gedenkveranstaltung zum 20. Todestages von Jan Pallach mitorganisiert hatte. Pallach hatte sich in den Tagen der russischen Intervention während des „Prager Frühlings" am Wenzelsplatz aus Protest selbst verbrannt. Havel wurde für sein Auftreten zu neun Monaten Haft verurteilt. Nach Protesten aus der ganzen Welt, auch aus den östlichen Reformländern, mußte die Führung Havel freilassen. Der deutsche Buchhandel ehrte ihn im Oktober mit seinem Friedenspreis, die Ausreise zur Preisverleihung wurde ihm von den tschechischen Behörden versagt. Schikanen und Repressionen war Havel gewöhnt. Zu oft war er für sein kompromißloses Eintreten ins Gefängnis gegangen, hatte über all die Jahre Publikationsverbot, mußte als Heizer arbei-

ten oder war unter Hausarrest gestellt. Die Briefe an Olga, seine Betrachtungen aus dem Gefängnis, wurden aus der damaligen CSSR geschmuggelt und wie all seine anderen Werke nur im Westen veröffentlicht.

In dem im November 89 neugegründeten Bürgerforum *of*, dem Sammelbecken der alten und neuen Opposition, wurde Havel zusammen mit Jiri Hajek, dem Außenminister aus der Zeit Dubčeks, zu einem der Sprecher der Bewegung gemacht. Alte und neue Regimekritiker standen in einer Front.

Eigentlich mehr gegen seinen Willen übernahm Havel, unterstützt von seinen Freunden und Beratern, die Führungsrolle. Nach Massenkundgebungen, Protesten und Verhandlungen hatte es das Bürgerforum, der Motor der Opposition, geschafft. Am 29. Dezember 89 wurde Havel einstimmig vom Prager Parlament zum Staatspräsidenten gewählt. Der mit Publikationsverbot belegte Schriftsteller, der seinen aufrechten Gang über all die Jahre des Dissidententums bewahrt hatte, wurde trotz und vielleicht gerade wegen seiner politischen Unprofessionalität ins höchste Staatsamt gewählt. Alexander Dubček, der große Mann des Prager Frühlings, immer noch Integrationsfigur, wurde Parlamentspräsident. Nach über zwanzig Jahren eine verdiente Genugtuung.

Es fand keine blutige Abrechnung statt. Nach der friedlichen Revolution in der DDR und dem blutigen Ende des Ceaucescu-Regimes in Rumänien hatte sich in Prag die „samtene Revolution" durchgesetzt. Die Despoten der Unterdrückung, jene „heimische Mafia, die nicht aus den Fenstern ihres Flugzeugs schauen und speziell gefütterte Schweine essen, lebt zwar noch und trübt hin und wieder das Wasser, ist aber nicht mehr unser Hauptfeind."

Havel ist kein Politiker, kein gewiefter Profi auf dem aalglatten politischen Parkett

mand ist nur Opfer, sondern alle sind wir zugleich ihre Mitschöpfer". So etwas wollen natürlich die wenigsten hören, aber Havel ist Realist genug: „Selbst die beste Regierung, das beste Parlament und auch der beste Präsident können allein nicht allzuviel ausrichten... Freiheit und Demokratie bedeuten doch Mitbeteiligung und also auch Mitverantwortung aller."

Die Mithilfe aller wird vonnöten sein, um das kaputte und heruntergewirtschaftete Land wieder in Schwung zu bringen. Natur und Umwelt sind aufs ärgste verschmutzt und kaputt. Ganze Industriezweige erzeugen Dinge, die niemand braucht, während das, was gebraucht wird, nicht zu bekommen ist.

– und genau das ist es wahrscheinlich, das ihm sein Charisma gibt. Vielleicht wird in solchen Momenten der Geschichte auch kein Politiker gebraucht, sondern ein Visionär, der aber trotzdem, wie Havel es zur Genüge tut, dem Volk den Spiegel vorhält, es mit den Realitäten konfrontiert: „Wir sind alle – wenn auch selbstverständlich jeder in einem anderen Maße – für den Gang der totalitären Maschinerie verantwortlich, nie-

Vorherige Seiten: Die Auseinandersetzung mit der Geschichte findet wieder statt. Links: Symbolfigur und Schriftsteller – Václav Havel. Oben: Das große Reinemachen im Hradschin hat begonnen.

Dies zu ändern wird noch Jahre dauern. Wahlen stehen vor der Tür mit über zwanzig verschiedenen Parteien, ja sogar einer erotischen Partei. Havel kandidiert noch einmal nach langem Hin und Her für das Amt des Staatspräsidenten und „das klassische Dissidententum ist vorbei". Havels Kritiker werfen ihm Dilletantismus und mangelnde Professionalität vor, und das, nachdem gerade erst die Perfektionisten und Profis von der politischen Bühne vertrieben worden sind. Aber egal, wie die Wahlen ausgehen, gilt, was Havel in seiner Neujahrsansprache formulierte: „Deine Regierung, Volk, ist zu dir zurückgekehrt".

TSCHECHEN UND SLOWAKEN

An ein gemeinsames Leben in einem Staat haben bis Ende des Ersten Weltkrieges weder die Tschechen noch die Slowaken gedacht. Erst als es klar wurde, daß die Donaumonarchie zerfiel, schlossen sich die Slowaken in Amerika der Idee des damaligen Führers des tschechischen politischen Exils und späteren Staatspräsidenten der Tschechoslowakei, Prof. T. G. Masaryk, an und unterzeichneten die „Pittsburger Erklärung". In

der zukünftigen Tschechoslowakei sollten die Slowaken neben den Tschechen ein gleichberechtigtes Volk werden.

Die Slowaken wie die Tschechen lebten bis 1918 in der Habsburgischen Monarchie, die Slowakei war allerdings ein Teil von Ungarn. Die Ungarisierung der Slowakei wurde so gründlich und brutal betrieben, daß es am Anfang des 18. Jahrhunderts keine

Vorherige Seiten: Beleuchteter Hradschin. Prager Gemütlichkeit im U Fleků. Eishockey-Nachwuchs. Oben: In der Sache sind sich Tschechen und Slowaken einig: Schutz der Umwelt. Rechts: Trachtengruppe vor einer Gaststätte.

slowakische Sprache mehr gab. Unter dem Einfluß der tschechischen nationalen Wiedergeburt hatten auch die Slowaken ihre verlorengeglaubte Sprache neu entdeckt und entwickelt. Nach 1918 bemühten sich die Tschechen und die Prager Regierung, das slowakische Schulwesen aufzubauen und den Slowaken zu helfen, ihre eigene Intelligenz auszubilden. An slowakischen Mittel- und Hochschulen, in der Verwaltung, im Gerichtswesen usw. waren Tschechen tätig. Dies führte natürlich zu Mißverständnissen; die Slowaken fühlten sich von den Tschechen bevormundet, später sogar unterdrückt. Zu diesem Mißverständnis haben allerdings auch die Tschechen beigetragen; die „Pittsburger Erklärung" aus dem Jahr 1917, die die Slowaken als das zweite Staatsvolk in der Republik definierte, wurde in Prag sehr bald vergessen, und viele Tschechen betrachteten die Slowakei als ihre Kolonie.

Die Unzufriedenheit in der Slowakei fand ihren Ausdruck im Programm der slowakischen Separatisten. Im März 1939, als die Rest-Tschechoslowakei von Hitler okkupiert wurde, sahen die slowakischen Separatisten ihre historische Chance gekommen: Sie lösten sich von der Republik und gründeten unter Hitlers „Schutz" ihren „selbstständigen", mit Nazi-Deutschland verbündeten slowakischen Staat.

Ende August 1944, als die sowjetische Armee an der Nordgrenze des slowakischen Staates stand, organisierten slowakische Patrioten mit den Kommunisten einen Volksaufstand, der zwar von den Deutschen niedergeschlagen wurde, aber für die Slowaken wichtig war: Tschechen und Mähren machten Revolution gegen die Nazis erst dann, als Deutschland schon kapitulierte.

Die Gegensätze dauern bis heute an. Da die Slowaken sich im Prager Frühling 1968 nicht zu sehr engagierten, verlief die sogenannte Säuberung des öffentlichen Lebens bei ihnen im Vergleich zu Böhmen und Mähren ziemlich glimpflich. „Ein Slowake in Prag zu sein ist heute der beste Beruf", seufzen daher viele Tschechen ...

DIE FÜNF STÄDTE PRAGS

Heute kann von fünf Städten nicht mehr die Rede sein, denn inzwischen ist Prag in zehn Bezirke aufgeteilt. Das Interesse aber gilt meist nur den fünf historischen Städten: Hradschin und Altstadt, Kleinseite und Neustadt sowie dem Prager Ghetto, etwas euphemistisch „Josefsstadt" genannt. Zu Beginn des 19. Jahrhunderts lebten in der Stadt rund 80.000 Menschen. Langsam, unter Einbeziehung weiterer Gebiete, stieg ihre Zahl kontinuierlich an. Vyšehrad, Holešovice und Bubeneč brachten die Stadt um 1900 auf etwa 200.000 Einwohner. Am 1. Januar 1922 entstand die Gemeinde Groß-Prag mit 676.000 Einwohnern. Nach dem Zweiten Weltkrieg erweiterte sich die Stadt sprunghaft. Die Stadtflur vergrößerte sich um das Dreifache auf 500 km^2. Neue Trabantenstädte wie die Nordstadt *(Severní město)* für 80.000 Einwohner und die Südstadt *(Jižní město)* für 100.000 Einwohner wurden angelegt. Die Südweststadt *(Jihozápadní město)* für 130.000 Menschen ist noch im Bau. Heute leben in Prag knapp 1,3 Millionen Menschen, umgeben von rund zehn Prozent der tschechischen Industriebetriebe.

Erst unter Kaiser Joseph II. wurde die Stadtverwaltung zusammengelegt. Die Rathäuser weisen noch auf die frühere Unabhängigkeit hin. Und bis heute kann man in den einzelnen Stadtteilen noch eine unterschiedliche Atmosphäre und Ausstrahlung, wenn auch nicht mehr eine verschiedene Uhrzeit feststellen. Der Besuch des Hradschin und seiner Umgebung wie Loreto oder Kloster Strahov bietet sich als geschlossene Einheit an. Kleinseite und die Insel Kampa mit ihren protzigen Adelsvillen, die sich im Schatten der Herrscher auf dem Hradschin angesiedelt haben, ist wiederum ein Kapitel für sich. Mit ihren Weinstuben, den schönen Gärten am Petřín oder dem Blick auf die nächtliche Moldau und die Karlsbrücke üben sie eine romantische Faszination auf viele Pragbesucher aus.

Neidvoll mögen früher die Bewohner der engen und schmutzigen Altstadt und der Judenstadt über die Moldau geblickt haben. Wer sich von dem schön restaurierten Altstädter Ring in die engen Gassen und Hinterhöfe des Ungelt begibt, bekommt einen flüchtigen Einblick in das altstädtische Prag, in das Prag Franz Kafkas. Die Pařížská ist eine Prachtstraße, in der heute Dior und Lufthansa residieren. Aber nur zwei Ecken weiter?

Die Großzügigkeit und städtebauliche Weitsicht Karls IV. und seiner Architekten erkennt man beim Gang durch die Neustadt. Hier wurde weit über die damalige Zeit hinaus geplant. Die groß angelegten Plätze wie der Karlsplatz oder der Wenzelsplatz stammen aus einer Zeit, in der man vom Auto- und Straßenbahnverkehr nicht einmal träumen konnte.

Vorhergehende Selten: im Fenster eines Antiquariats. Das Café Slavia. Die Karlsbrücke mit Schwänen. Links: Vom Letna-Hügel bietet sich eine phantastische Aussicht auf die Moldau und die Prager Brücken.

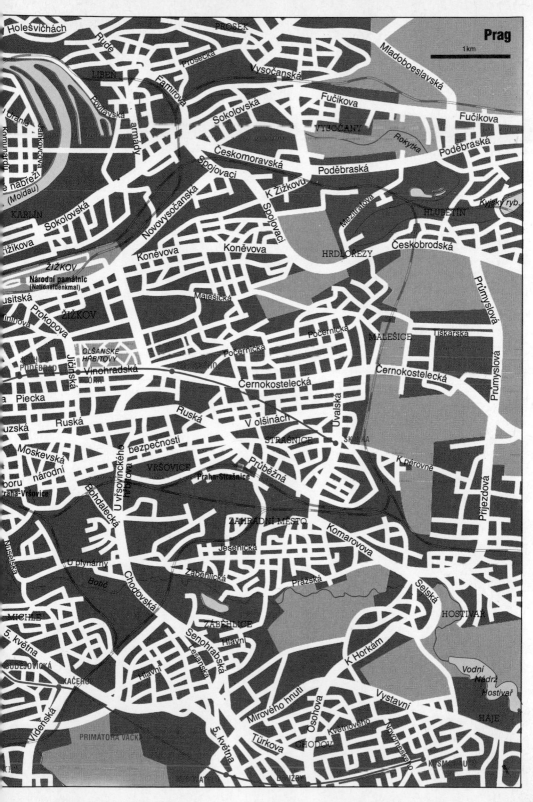

Prag

1km

Holešvičkách
PROSEK
Rudě
Prosecká
LIBEŇ
Vysočanská
Famírova
Sokolovská
Fučíkova
Fučíkova
Povltavská
armády
Českomoravská
Poděbraská
Rokytka
VYSOČANY
U Uranie
Komunardů
Spojovací
Poděbraská
K Žižkovu
e nabřeží
(Moldau)
Novovysočanská
Spojovací
Meziřatova
KARLÍN
Kyjský ryb.
Sokolovská
Konělova
Konělova
Českobrodská
HLUBETÍN
žížkova
ŽIŽKOV
HRDLOŘEZY
Národní památník
(Nationaldenkmal)
Malešická
Průmyslová
usitská
Prokopova
ŽIŽKOV
Počernická
MALEŠICE
Tiskárská
finlnova
Počernická
Průmyslová
OLŠANSKÉ
HŘBITOVY
Jičínská
Vinohradská
Černokostelecká
0 km
PODĚBRAD
Uvalská
Černokostelecká
Černokostelecká
a Piecka
Ruská
V olšinách
uzská
Ruská
STRAŠNICE
SKÁLA
Moskevská
bezpečnosti
K pérovně
národní
Průběžná
VRŠOVICE
oboru
Bohdalecká
Praha-Strašnice
raha-Vršovice
U vršovického
nádraží
Příjezdová
ZAHRADNÍ MĚSTO
Komarovova
Nuselská
Jesenická
U plynárny
Botič
Žabehlická
Prážská
Selská
Chodovská
HOSTIVAŘ
MICHLE
ZÁBĚHLICE
5. května
Hlavní
BUDESOVICKÁ
K Horkám
Vodní
Nádrž
KAČEROV
Hlavní
Senohrabská
Cesanska
Hostivař
HÁJE
Vídeňská
Mírového hnutí
Osnova
Vystavní
PRIMÁTORA VACKA
5. května
Türkova
CHODOV
Květnového
Novomasného
KOSMONAUTŮ

75

DER HRADSCHIN

Die Silhouette der Prager Burg ist zweifellos die bekannteste Ansicht von Prag. Sie ist das Wahrzeichen der Stadt. Begünstigt durch ihre exponierte Lage, beherrscht die Burg das Stadtbild des linken Moldauufers. Besonders nachts, bei festlicher Beleuchtung, kommt die ausladende Stirnseite mit der Kathedrale im Hintergrund voll zur Geltung. Der imposanten Erscheinung steht die historische Bedeutung der Residenz nicht nach. Ihre Geschichte ist nicht nur mit der Stadt, sondern mit der Entstehung des ersten unabhängigen tschechischen Staates und seinem weiteren Schicksal aufs engste verknüpft. Schon vor einem Jahrtausend wurden von hier aus die Geschicke des Landes bestimmt, und diese nur zeitweilig unterbrochene Tradition setzt sich bis heute fort: Die Burg ist heute als Sitz des Präsidenten der Republik noch immer ein Zentrum der politischen Macht.

Die Entstehung der Prager Burg wird mit dem ersten historisch nachgewiesenen Fürsten aus dem Geschlecht der Premysliden in Verbindung gebracht. Dieser Fürst Bořivoj errichtete Ende des 9. Jahrhunderts an der Stelle einer heidnischen Kultstätte eine hölzerne Burg, die zum neuen Sitz der Dynastie wurde und die Kreuzung wichtiger europäischer Handelswege sichern sollte, welche bei der Moldaufurt aufeinandertrafen. Gleichzeitig gründete er auf dem Hügel die erste Kirche als Zeichen der fortschreitenden Christianisierung. Nachdem 973 das Bistum Prag gegründet worden war, wurde die Burg auch zum Sitz des Bischofs.

Nach der Jahrtausendwende entstand nach und nach eine romanische Burgstätte mit einem Fürsten- und späteren Königspalast, einem Bischofspalast, mehreren Kirchen, zwei Klöstern und einer mächtigen Befestigungsanlage. Jede weitere Epoche hat ihren Beitrag zu der kaum überschaubaren Entstehungsgeschichte geleistet, von der man sich bei der Besichtigung ein ungefähres Bild machen kann. Die heutige Gestalt der Burg geht im wesentlichen auf die Kaiserin Maria Theresia zurück. In ihrem Auftrag hat der Wiener Hofarchitekt Nicolo Pacassi in der zweiten Hälfte des 18. Jahrhunderts die unterschiedlichen Gebäude mit einer einheitlichen, klassizistischen Fassade und neuen Anbauten versehen. Dadurch ist der eigentümliche Charakter der Burg einer eher schloßartigen Monumentalität gewichen.

Hradschiner Platz: Bevor man die Besichtigung der Burg beginnt, sollte man sich auf dem **Hradschiner Platz** (*Hradčanské nám*) umsehen. Seit dem verheerenden Brand im Jahre 1541, der ganz Hradschin und die Kleinseite weitgehend zerstörte, säumen ihn einige sehenswerte Paläste. In der unmittelbaren Nachbarschaft der Burg erhebt sich die Rokokofassade des **Erzbischöflichen Palastes**, der nur alljährlich am Gründonnerstag besichtigt

Vorherige Seiten: Der Wenzelsplatz bei Nacht. Links: Eingang zum Regierungspalast der neuen Republik ČSFR.

werden kann. Das **Renaissancepalais Schwarzenberg** auf der gegenüberliegenden Seite ahmt mit seinem gemalten Sgraffitodekor italienische Vorbilder nach. In ihm befindet sich das **Museum für Heeresgeschichte** *(Vojenské muzeum),* mit einer einzigartigen Sammlung von Waffen, Uniformen, Orden, Fahnen und Schlachtplänen aus vielen Ländern Europas.

Durch das Ebenmaß seiner Vorderfront besticht das frühbarocke **Palais Toscana,** das den Platz im Westen abschließt. An der Mündung der *Kanovnická ul.* liegt das **Renaissancepalais Martinitz,** bei dessen Restaurierung Sgraffiti mit biblischen und antiken Szenen zum Vorschein kamen. Diese stilistische Vielfalt auf engstem Raum gibt einen Vorgeschmack auf das, was dem Besucher an Architektur noch begegnen wird.

Links vom Erzbischöflichen Palast führt ein kleines Gäßchen zum versteckten **Palais Sternberg,** das seine barocke Pracht nach innen entfaltet.

Dies ist das Hauptgebäude der **Nationalgalerie** *(Národní galerie),* in dem eine erstrangige Sammlung der europäischen Kunst untergebracht ist.

An seiner Südseite öffnet sich der Hradschiner Platz zur Burgrampe hin, von der (sowie von der Terrasse des *Café Kajetánka)* sich ein einmaliger Ausblick bietet. Neben der **Neuen Schloßstiege** kann man an Wochenenden in den Sommermonaten die **Burggärten** betreten, die sich entlang der südlichen Burgfront bis hin zur Alten Schloßstiege erstrecken. Von der dortigen **Bastei** und vom **III. Burghof** aus gibt es weitere Eingänge.

I. und II. Burghof: Den Hauptzugang zum gesamten Burgareal bildet der zum Hradschiner Platz offene **I. Burghof.** Man betritt diesen sogenannten Ehrenhof durch ein Tor inmitten eines mächtigen Ziergitters. Vor den Kopien der *Kämpfenden Riesen* von I. F. Platzer d. Ä. ist die Ehrenwache postiert, deren Ablösung stets von Schaulustigen umlagert ist.

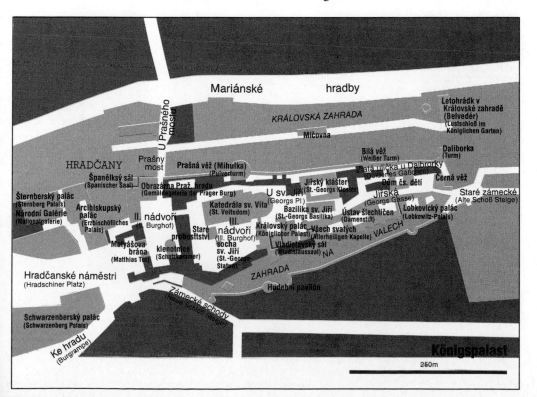

Dieser jüngste Burghof entstand an Stelle des äußeren westlichen Burggrabens während der Burgneugestaltung unter Maria Theresia. Wesentlich älter ist nur das **Matthiastor,** das älteste barocke Gebäude auf dem Hradschin. Ursprünglich stand es, einem Triumphbogen ähnlich, frei zwischen den Brükken, die über die Befestigungsgräben führten. Während des Umbaus wurde es dann auf eine elegante Weise reliefartig in den neu errichteten Trakt integriert. Seitdem dient das Matthiastor als Verbindung zum II. Burghof. Rechts im Torbogen ist der offizielle Eingang zu den **Repräsentationsräumen** des Präsidenten, die nur selten besichtigt werden können. Vom Hof aus kann man an manchen Tagen über den Dächern eine Flagge sehen. Es ist die „Standarte" des Präsidenten, die seine Anwesenheit bekundet. Sie trägt die A ufschrift *pravda vítězí* („die Wahrheit siegt"), eine Maxime der Hussiten.

In dem etwas nüchtern wirkenden **II. Burghof** angelangt, blicken wir zunächst auf die **Heiligkreuzkapelle** *(Kaple sv. Kříže).* In dieser ehemaligen Hofkapelle mit einer prunkvollen Innenausstattung werden die wertvollsten Stücke des **Domschatzes** ausgestellt: eine Sammlung von kostbaren Reliquien, liturgischen Gegenständen und originellen historischen Erinnerungsstücken. Diese sehenswerte Sammlung hat ihren Ursprung in der Zeit des Fürsten Wenzel, ihr Kern geht aber auf Karl IV. zurück. Der in seinem politischen Handeln so pragmatische Kaiser war gleichzeitig ein leidenschaftlicher Reliquiensammler. Seine Sammlung konnte sich sogar mit der des Papstes in Rom messen.

Der symmetrische, geschlossene Eindruck des II. Burghofes ist auch ein Ergebnis der theresianischen Neugestaltung. Doch der Eindruck täuscht: Hinter der einheitlichen Fassade verbirgt sich ein über Jahrhunderte gewachsenes Konglomerat aus vielen nach und nach entstandenen Bauten mit einer sehr verzwickten Geschichte. In

Die neue Ehrengarde hat im I. Burghof Wachablösung.

dem rechten Durchgang zum III. Burghof sind noch Reste der romanischen Befestigung zu sehen.

Die Sammlung Rudolfs II.: Reste einer noch älteren Bebauung, einer Marienkirche aus dem 9. Jahrhundert, wurden im Bereich der **Burggalerie** entdeckt. Diese ist vom Durchgang im Nordflügel aus zu betreten. Es handelt sich um eine Sammlung, die mit dem kunstliebenden Kaiser Rudolf II. in Zusammenhang steht. Der weltabgewandte, durch seine Lebensführung als Sonderling in die Geschichte eingegangene Kaiser war ein großer Förderer der Künste und Wissenschaften und hat neben zahllosen Kuriositäten sehr viele Kunstschätze angehäuft. Seine Sammlung war wohl eine der bedeutendsten im damaligen Europa. Mit der Verlegung der kaiserlichen Residenz wanderte ein Großteil der so wertvollen Sammlung von Prag nach Wien.

Ein anderer Teil fiel den Schweden als Kriegsbeute in die Hände. Noch im 17. Jahrhundert entstand aus den Resten wieder eine wertvolle Sammlung, die erneut nach Wien und durch Verkäufe nach Dresden verfrachtet wurde. Was dann noch übriggeblieben war, fiel einer Versteigerung zum Opfer. So galt sie lange Zeit als verloren. Erst in jüngster Zeit kamen im Zusammenhang mit Umbauarbeiten Bilder zum Vorschein, die restauriert wurden und dabei als schon verloren geglaubte Originalbilder identifiziert werden konnten. Diese kleine, aber wertvolle Kollektion umfaßt 70 Gemälde (u. a. Hans von Aachen, Tizian, Tintoretto, Veronese, P. P. Rubens, M. B. Braun, Adriaen de Vries und die böhmischen Barockkünstler J. Kupecký und J. P. Brandl).

Der Veitsdom: Wenn man aus dem Verbindungsgang zum **III. Burghof** heraustritt, kommt man nicht umhin, erst einmal innezuhalten und der kühnen Vertikale des **St.-Veits-Doms** (*Chrám sv. Víta*) mit dem Blick zu folgen. Nur wenige Schritte entfernt ragt das Nordportal dieser größten Kirche Prags empor. Sie ist zugleich die Metropolitankirche des Prager Erzbistums, die königliche und kaiserliche Grabstätte und der Aufbewahrungsort der Kroninsignien.

Ihre fast 600jährige Entstehungsgeschichte fängt mit der Gründung des Erzbistums im Jahre 1344 an. Aus diesem Anlaß ließ der ehrgeizige Karl IV. eine Kathedrale errichten, die zu den bedeutendsten Werken der von Frankreich ausgehenden gotischen Kirchenarchitektur des 14. Jahrhunderts gehören sollte. Zu diesem Zweck wurde aus dem damaligen päpstlichen Avignon der französische Baumeister Matthias von Arras berufen, der mit dem Bau begann. Nach acht Jahren übernahm die Leitung Peter Parler, der die gotische Architektur in ganz Prag nachhaltig beeinflußte. Nach dessen Tod wurde die Arbeit von seinen Söhnen fortgesetzt, bis sie in der ersten Hälfte des 15. Jahrhunderts durch die Hussitenkriege unterbrochen wurde. In diesem Zeitabschnitt wurden der Chor mit seinen Kapellen und zum Teil der Südturm fertiggestellt. In der folgenden Zeit

Die Standarte des Präsidenten weht über der Prager Burg.

wurden nur noch kleine Veränderungen vorgenommen. So bekam zum Beispiel der Turm nach 1560 einen Renaissancehelm und eine Brüstung. Gut 200 Jahre später wurde der Helm durch ein barockes Dach ersetzt. Erst Anfang der sechziger Jahre des vorigen Jahrhunderts nahm sich ein Verein tschechischer Patrioten der schwierigen Aufgabe der Vollendung der Kathedrale an. In Anlehnung an die alten Pläne und unter Mitwirkung namhafter tschechischer Künstler ist der Bau im Jahre 1929 zum langersehnten Abschluß gekommen.

Bevor man den Dom durch das Westportal betritt, sollte man einen Blick auf seine äußere Gestaltung werfen, die aus den letzten Jahren der Fertigstellung stammt. Beachtenswert ist die im Durchmesser über zehn Meter große **Fensterrosette,** die die Erschaffung der Welt darstellt. Seitlich sind Reliefs mit Porträts der Dombaumeister angebracht. Die Türme werden von 14 Heiligenstatuen geschmückt. Auf den Bronzetoren sind in der Mitte die Geschichte des Baus und an den Seiten die St.-Adalbert- und die Wenzellegende dargestellt. Diese beiden Heiligen werden als Wegbereiter der Christianisierung Böhmens verehrt.

Im herrlichen Innenraum der Kathedrale fallen vor allem die dekorativen **Farbfenster** und das **Triforium** auf, ein über den Pfeilerarkaden verlaufender Gang mit einer Galerie von Porträtbüsten. An der Fenstergestaltung haben sich führende tschechische Künstler beteiligt, wie zum Beispiel Max Švabinský, von dem das Fenster in der ersten Kapelle rechts stammt sowie das Mosaik auf der westlichen Wand und das große Fenster über dem Südportal. Das Fenster in der dritten Kapelle links entwarf Alfons Mucha, der hauptsächlich durch seine Jugendstilplakate für Sarah Bernhardt berühmt wurde. Wer alle 21 Kapellen kennenlernen will, sollte sich einer Führung anschließen. Es sei hier nur auf die wichtigsten Sehenswürdigkeiten hingewiesen.

Imposant und übermächtig – die St.-Veits-Kathedrale auf der Prager Burg.

Die Wenzelskapelle: Der Hauptanziehungspunkt ist sicherlich die in das Querschiff hineinragende **Wenzelskapelle.** Sie wurde von P. Parler dort errichtet, wo ursprünglich eine romanische Rotunde aus dem 10. Jahrhundert stand, in der der Nationalheilige Wenzel beigesetzt wurde. Entsprechend der Bedeutung des St.-Wenzel-Kults ist sie als heiliger Ort besonders prachtvoll ausgestattet. Die Fresken an den mit Halbedelsteinen und Goldplättchen besetzten Wänden stellen im oberen Teil die Passion Christi, im unteren die Legende des heiligen Wenzel dar. Eine kleine Tür führt zu der direkt über der Kapelle liegenden **Schatzkammer.** Hier werden die böhmischen Kroninsignien aufbewahrt, und zwar hinter sieben Schlössern, deren Schlüssel von sieben verschiedenen Institutionen gehütet werden. Die kostbaren Juwelen werden aber nur bei besonderen Anlässen öffentlich ausgestellt.

In den drei mittleren Chorkapellen hinter dem Hauptaltar befinden sich die gotischen Grabmäler der Fürsten und Könige aus dem Přemysl-Geschlecht. Es sind Arbeiten aus P. Parlers Bauhütte. Im Chorgang selbst stehen auf der einen Seite eine Bronzestatue des knienden Kardinals F. von Schwarzenberg (ein Werk des führenden tschechischen Bildhauers J. V. Myslbek, 1848-1922) und auf der anderen Seite das monumentale, silberne Grabmal des hl. Johannes von Nepomuk, entworfen von dem bedeutenden Barockarchitekten J. E. Fischer von Erlach. Beachtenswert sind vor allem in dem Chorgang auch die Holzreliefs, Meisterwerke der barocken Holzschnitzerei.

Gegenüber dem Grabmal des Grafen Schlick, gestaltet von Matthias B. Braun, führt eine Treppe zur **Königsgruft** hinab. Hier können – neben Mauerresten zweier romanischer Kirchen – die Sarkophage besichtigt werden, in denen Kaiser Karl IV., seine Kinder und seine vier Frauen sowie der König Georg von Poděbrad beigesetzt sind. In einem schönen Renaissance-Zinnsarg ruht Kaiser Rudolf II. Über der Königsgruft – unmittelbar vor dem neugotischen Hauptaltar – steht das kaiserliche Grabmal der Habsburger aus weißem Marmor, das für Ferdinand I., seine Frau Anna und deren Sohn Maximilian II. errichtet wurde.

Die Orgelempore bildete ursprünglich den Abschluß des Chors an seiner Westseite. Nach der Fertigstellung des neugotischen Teils wurde sie an ihre heutige Stelle versetzt.

Der III. Burghof: Um zu den weiteren Sehenswürdigkeiten zu gelangen, muß man um die ehemalige **Alte Propstei** (heute Kulturhaus) herumgehen, die sich seitlich an die Kathedrale anschmiegt. Das zweiteilige Fenster an der Ostseite der Propstei deutet auf ihren romanischen Ursprung hin. In der Nähe befindet sich ein Granitmonolith, der an die Opfer des Ersten Weltkrieges erinnert. Aus kunsthistorischer Sicht ist die **Reiterstatue des hl. Georg** von Bedeutung, die im Hof steht. Es handelt sich allerdings um eine Kopie der gotischen Plastik. Das Original, das im St.-Georgs-Kloster aufbewahrt wird, ist ein einmaliger Beweis für die hochentwickelte Kunst des Metallgießens im 14. Jahrhundert. Durch die flache Überdachung neben der Kathedrale werden die archäologischen Funde geschützt, die in den tieferen Schichten des Burghofes gemacht worden sind.

Beeindruckend ist von hier aus der Blick auf das komplizierte System der Stützpfeiler und auf die Südfassade des Doms, die von dem fast 100 Meter hohen Turm beherrscht wird. Sein stilistisch ungewöhnlicher Abschluß gibt ihm eine besondere Note. Das vergoldete Fenstergitter, der Buchstabe „R" und die beiden Uhren, von denen die obere die vollen Stunden und die untere Viertelstunden anzeigt, stammen aus der Zeit Kaiser Rudolfs II. Der Turm, der leider nicht mehr zugänglich ist, beherbergt vier Renaissanceglocken. Darunter befindet sich die größte Glokke Böhmens, die 18 Tonnen schwer ist.

Die dreibögige Vorhalle des in das Querschiff mündenden Eingangspor-

Detail aus der Fensterrosette des St.-Veits-Doms. Sie erzählt von der Erschaffung der Welt.

tals – auch **Goldene Pforte** genannt – wird von außen mit einem Mosaik *Das Jüngste Gericht* geschmückt. Es wurde von italienischen Künstlern um 1370 geschaffen. Das gleiche Thema stellt das bereits erwähnte Fenster über dem Portal dar. Die Vorhalle ist mit einem modernen Ziergitter mit Darstellungen der einzelnen Monate versehen.

An der Südseite des III. Burghofes setzt sich die Einheitsfassade N. Pacassis fort, die in diesem Abschnitt drei ältere Paläste verdeckt, unter anderem den von Rudolf II. Der Portikus mit den Lichtträgern von I. F. Platzer d. Ä. dient heute als Eingang zur **Kanzlei des Präsidenten** der Republik.

Der Königspalast: Die überdachte Treppe in der linken Ecke führt zu den eingangs erwähnten Burggärten. Dort schließt sich der ehemalige **Königspalast** *(Královský palác)* an, den man unbedingt besuchen sollte. Es überrascht nicht mehr, daß auch dieser Komplex mehreren Herrschergenerationen seine Entstehung verdankt. Über die ältesten Mauern, die tief unter der Ebene des Burghofes liegen, wurden im Laufe der Zeit immer neue Palaststockwerke übereinandergeschichtet, so daß man gewissermaßen im wörtlichen Sinne tiefer und tiefer in die Geschichte hinabsteigen kann.

An einem Adlerbrunnen vorbei, erreicht man vom Hof aus über eine Treppe den Vorsaal. Hier beginnt die Besichtigung des Palastes, der bis zum Ende des 16. Jahrhunderts als Sitz der Herrscher diente. Die ersten drei Räume links vom Eingang sind die **Grüne Stube,** ein ehemaliger Gerichts- und Audienzsaal (mit Deckenfresko *Salomonisches Urteil),* das **Wladislaw-Schlafgemach** und das **Landtafeldepositorium.** Landtafeln waren Bücher, in denen nicht nur Besitzverhältnisse und Landtags-, sondern auch Gerichtsbeschlüsse festgehalten wurden.

Von dem Vorsaal geht es weiter zum **Wladislaw-Saal,** benannt nach König Wladislaw II. Dieser höchst imposante spätgotische Thronsaal,

Vor wenigen Jahren war das Dach des St.-Veits-Doms noch zu begehen.

zwischen 1493 und 1502 von Benedikt Ried erbaut, sucht seinesgleichen. Unter dem 13 Meter hohen Rippengewölbe fanden Krönungsfeiern statt und wurden Ritterspiele abgehalten. Unter Rudolf II. hat man hier auch mit Luxuswaren gehandelt. Heute dient der Saal als Schauplatz der Präsidentenwahlen.

Rechts vom Eingang in diesen Saal schließt sich ein weiterer Trakt an, in dem auf der gleichen Ebene die **Böhmische Kanzlei** zu besichtigen ist. Im ersten Raum befindet sich ein anschauliches Modell, das den Zustand der Burg im 18. Jahrhundert im Vergleich zu heute verdeutlicht. Durch ein Renaissanceportal betritt man die eigentliche Amtsstube der kaiserlichen Statthalter. Sie ist durch den sogenannten „II. Prager Fenstersturz" berühmt geworden, der nicht nur den böhmischen Aufstand von 1618, sondern dadurch auch den Dreißigjährigen Krieg zur Folge hatte. Am 23. Mai 1618 wurden aus dem linken Fenster zwei auf der katholischen Seite stehende Statthalter und ein Schreiber hinausgeworfen, weil sie den „Majestätsbrief" Rudolfs II. verletzt hatten. Durch dieses Dekret hatte der Kaiser wenige Jahre zuvor dem protestantischen böhmischen Adel freie Religionsausübung zugesichert. Zwei Obelisken im Garten erinnern an dieses denkwürdige Ereignis und bezeichnen die Stellen, wo die beiden hohen Herren gelandet sein sollen. Dem Schreiber ist diese Ehre nicht zuteil geworden. Alle drei überlebten den Sturz, denn angeblich fielen sie auf einen Müllhaufen.

Über eine Wendeltreppe gelangt man zur **Reichshofkanzlei,** die über der Böhmischen Kanzlei liegt. Von hier aus wurde unter Rudolf II. das gesamte Heilige Römische Reich Deutscher Nation verwaltet.

Unter den drei Renaissancefenstern in der schmalen Wand des Wladislaw-Saals führt eine Treppe zur **Allerheiligenkapelle,** die drei bemerkenswerte Kunstwerke besitzt: das Engeltriptychon von Hans von Aachen, das Aller-

Der St.-Georgs-Brunnen im II. Burghof.

heiligenbild am Hauptaltar von V. V. Reiner und im Chor einen Zyklus von Gemälden von Ch. Dittmann. Letzterer stellt in zwölf Szenen das Leben des heiligen Prokop dar, der in der Kapelle begraben liegt.

Als nächster geht vom Wladislaw-Saal der **Landtagssaal** ab, in dem die böhmischen Stände und das höchste Landesgericht tagten. Der Königsthron sowie das Mobiliar stammen aus dem 19. Jahrhundert. Links vom Thron steht die Tribüne des Obersten Landesschreibers, die im Renaissancestil ausgeführt wurde. An den Wänden hängen Porträts habsburgischer Herrscher.

Der letzte Raum, den man in diesem Trakt besichtigen kann, ist die **Neue Landtafelstube** mit den Wappen der Landtafelbeamten an der Decke und an den Wänden.

Über die **Reitertreppe,** über die man den Wladislaw-Saal zu Pferd erreichen konnte, verläßt man den jüngsten Teil des Königspalastes. Falls die unteren Geschosse zugänglich sind,

Kunstvolle Schmiedearbeit an der St.-Veits-Kathedrale.

kann man die Besichtigung links fortsetzen, indem man in den frühgotischen Teil des Palastes hinabsteigt. Die tiefste Schicht bildet der romanische Palast, der Reste einer Burgbefestigung in sich birgt, die zum Teil schon Ende des 9. Jahrhunderts entstand.

Das St.-Georgs-Kloster: Beim Verlassen des Königspalastes betreten wir den **St.-Georgs-Platz** *(Nám. U sv. Jiří).* Die barocke Fassade gegenüber dem Chorabschluß des St.-Veits-Doms gehört zu der **St.-Georgs-Basilika** *(Bazilika sv. Jiří).* Es handelt sich um die älteste auf der Burg erhaltene Kirche. Mit dem angrenzenden Kloster zusammen bildete sie im frühen Mittelalter das Zentrum des Burgareals. Anfang des 10. Jahrhunderts gegründet, hat dieser romanische Kirchenbau im 12. Jahrhundert seine heutige Form angenommen. Spätere Veränderungen wurden bei einem Umbau um die letzte Jahrhundertwende wieder rückgängig gemacht. Nur die barocke Fassade und das südliche Renaissanceportal wurden belassen. Der wunderschöne Innenraum, in dem wegen der hervorragenden Akustik Konzerte stattfinden, ist mit einem erhöhten Chor abgeschlossen. Hier sieht man noch Reste romanischer Deckenmalereien. Rechts vom Chor ist hinter einem Gitter die Ludmilla-Kapelle einsehbar, mit der Gruft der Heiligen, der Großmutter des Fürsten Wenzel. Dem Chor sind Grabmäler zweier böhmischer Fürsten vorgelagert. Die barocke Statue vor der Krypta – eine Leiche mit Schlangen in den Eingeweiden – ist eine naturalistische Allegorie der Vergänglichkeit.

In die Außenfassade der Basilika ist die barocke **St.-Johannes-von-Nepomuk-Kapelle** eingegliedert. Ihr Portal wird durch eine Statue des Heiligen von F. M. Brokoff geschmückt.

Links schließt sich das ehemalige **Benediktinerinnenkloster St. Georg** an (gegr. 973), ein mehrmals umgebautes Gebäude, das die **Sammlung der alten Kunst Böhmens** (eine Abteilung der Nationalgalerie) beherbergt. Es werden hier Werke aus dem 14.-18.

Jahrhundert ausgestellt, darunter Bilder von Künstlern, die sich an der Ausstattung vieler Prager Kirchen beteiligt haben.

Entlang der Nordseite des St.-Veits-Doms verläuft die *Vikářská ul.,* in der sich jetzt ein **Touristen-Informationsbüro** befindet. In der Nähe ist in den letzten Jahren der **Pulverturm Mihulka** zugänglich gemacht worden. Als ein Teil der Nordbefestigung Ende des 15. Jahrhunderts entstanden, diente er zeitweilig als Schießpulverlager. Jetzt ist in ihm ein kleines Museum untergebracht, das auf eine andere frühere Nutzung des Turms als Metallgießerei und vielleicht auch als Alchimistenlabor hinweist. In einzelnen Stockwerken wird das Kunstgewerbe des 16. und 17. Jahrhunderts vorgestellt.

Goldenes Gäßchen: Einen anderen Teil der Burg kann man hinter dem St.-Georgs-Kloster besichtigen. An der Basilika vorbei geht es links in das **Goldmachergäßchen** *(Zlatá ulička)* hinauf, eine der beliebtesten touristi-

schen Attraktionen auf der Burg. In dem Befestigungsabschnitt zwischen dem mittleren **Weißen Turm** und dem **Turm Daliborka** am äußersten Ende (beides ehemalige berühmt-berüchtigte Gefängnisse) ducken sich unter dem Wehrgang der Befestigungsmauer winzig kleine Häuschen, die eine romantische Kulisse bilden. Einer Legende zufolge versuchten hier die berühmten Alchimisten Rudolfs II., das Geheimnis des ewigen Lebens zu ergründen und Gold herzustellen. Eine Tatsache ist es dagegen, daß im Häuschen Nr. 22 Franz Kafka zeitweilig an seinen Romanen gearbeitet hat.

Die Besichtigung der Burg endet am **Schwarzen Turm,** wo die *Jiřská ul.* an das Osttor stößt. Kurz davor liegt auf der rechten Seite das **Palais Lobkowitz,** das in der letzten Zeit für Ausstellungen zur Landesgeschichte zur Verfügung gestellt wurde. Jenseits des Osttores führt von einer kleinen Bastei die **Alte Schloßstiege** und die Straße *Na Opyši* hinab zur Kleinseite und zur U-Bahn-Haltestelle *Malostranská.* Die Bastei bietet eine schöne Aussicht und, wie bereits erwähnt, sie gewährt Zugang zu den südlichen Burggärten.

Lustschloß Belvedere: Außerhalb des Burgareals lohnt es sich noch, das **Lustschloß Belvedere** *(Královský letohrádek)* aufzusuchen. Man verläßt den II.Burghof in Richtung Norden und gelangt über die **Staubbrücke** *(Prašný most)* zunächst zur ehemaligen **Reitschule** *(Jízdárna),* die heute als Ausstellungsraum dient. Von ihrer Terrasse eröffnet sich ein imposanter Blick auf den St.-Veits-Dom. Wenn man von der Reitschule nach rechts der **Marienschanze** *(Mariánské hradby)* folgt, die den leider unzugänglichen **Königsgarten** abgrenzt, ist es nicht mehr weit zu dem herrlichen Lustschloß, das kunstgeschichtlich als ein einzigartiges Beispiel der reinen italienischen Renaissance nördlich der Alpen gilt. Kaiser Ferdinand I. ließ es Mitte des 16. Jahrhunderts für seine Frau Anna errichten. Besonders zu beachten ist die **„singende" Renaissance-Fontäne** im Garten.

DER GOLEM – EIN MYTHOS ENTSTEHT

Jede historische Stadt hat ihre Überlieferungen, die Ereignisse der realen Wirklichkeit in ein geheimnisvolles Halbdunkel hüllen. Solche Legenden kennt Prag bereits in den ersten Erinnerungen an die Begründerin, die Fürstin Libuše, in der zur Zeit der Verfolgung der Templerorden entstandenen Legende vom kopflosen, durch Prag reitenden Templerritter, aber auch in den

bare Zeit, in der der Renaissance-Glanz in das Halbdunkel des Barock übergeht. Der Renaissance-Mensch hat sich bereits von den mittelalterlichen Vorurteilen befreit, vermag aber noch nicht, seine Vernunfterkenntnis der Welt aufzuzwingen. Nach der bereits erlangten Gewißheit kamen neue Zweifel, neue Bedenken. Die neue Erkenntnis tappt in Ungewißheiten – sucht, glaubt,

Wassermännern, welche die vielen Stauwehre der Moldau hüten. Oder aber im Doktor Faust, der versuchte, Gold zu erzeugen, und zwar im Pakt mit dem Teufel, bis ihn schließlich der Höllenherrscher durch die Zimmerdecke des Fausthauses für immer in sein Reich verschleppte. Eine Legende, die in Prag mit der Gestalt des berühmten Alchimisten Mladota verknüpft ist.

Alle diese Erzählungen aber haben nie das wirkliche, historische Prag verdeckt. Erst gegen Ende des 16. Jahrhunderts beginnt sich das Bild vom phantastischen Prag herauszukristallisieren. Es ist eine sonder-

zweifelt, irrt, verfällt oft in triste Hoffnungslosigkeit...

Das phantastisch-mechanische Monstrum Golem, ein belebtes Stück bloßer Materie, konnte jedoch nur in dem geheimnisvollen Ghetto der Zeit Rudolfs II. entstehen. Es war ebendieser römisch-katholische Kaiser und böhmische König inmitten eines Ketzerlandes, der um sich jenes wirkungsvolle Bild des phantastischen Prag gestaltete – einer Stadt der Alchimisten und Künstler, der Astrologen und Gelehrten, die den verhüllenden Schleier der göttlichen Geheimnisse zu lüften versuchten. Eine Welt der

Träumer, der schwärmerischen Wahrheitssucher und verirrten Wahrheitspilger. Dies war die Atmosphäre der Stadt, in der der wunderwirkende Rabbi Löw mit seinem Golem dem berühmtesten Zauberer seiner Zeit, Doktor Faust, begegnen konnte. Ein phantastisches Prag, dessen zauber- und sagenumwobene Atmosphäre keine andere Zeit zu übertreffen vermochte. Nicht einmal die heutige, die durch die Entdeckung der nuklearen Geheimnisse bereits alle mutmaßlichen Mysterien der Magier und Zauberer der rudolfinischen Zeit überboten hat.

Hier stehen wir also vor der Prager Go-

als eines Abends vor der Sabbatruhe Rabbi Löw vergaß, seinem Golem das Zeichen des Lebens aus dem Munde zu nehmen, begann der Golem in Löws Haus ein Werk der Vernichtung. Durch die Entnahme des Lebensfunkens wieder in Lehm zurückverwandelt, ruht jetzt der Golem auf ewig unter dem Dach der Altneuen Synagoge.

Der Ursprung der Sage selbst stützt sich auf den ersten Teil der Kabbala, jene Lehren und Schriften der Mystik, von denen schon der Talmud spricht, die aber kein Wort von einem künstlich erschaffenen Menschen enthalten. Erst in einem Kommentar Elie-

lemlegende, von dem aus Lehm und Ton bestehenden Geschöpf des kabbalistischen Weisen, Astronomen und Zauberers Rabbi Löw, der diesem Golem mittels eines magischen Zauberwortes, des „Schem", Leben einhauchte, „um es zum Schutze seiner Gemeinde auszusenden, um Anschläge aufzuspüren und zu vereiteln", wie es die Sammlung jüdischer Sagen aus dem 19. Jahrhundert, *Sippurim*, erzählt. Und dann,

Links: Die Grabsteine des alten jüdischen Friedhofs. Oben: Der Davidsstern, das jüdische Glaubenssymbol, über dem Jüdischen Rathaus in der Maiselova.

sers aus Worms aus dem 13. Jahrhundert findet man den Ausdruck „Golem" im Sinne einer künstlichen Schöpfung, mit der genauen Anweisung, wie dieselbe durchzuführen sei. Und erst seit Mitte des 19. Jahrhunderts verbinden sich diese Sagen von dem „schöpferischen" Rabbiner schriftlich mit der Gestalt Rabbi Löws als Alchimisten. Danach schuf der weißgekleidete Rabbi unter Mithilfe seines Schwiegersohnes in einer finsteren Nacht am Ufer der Moldau unter ständigen Beschwörungen aus den vier Grundelementen der Natur – aus Erde, Feuer, Luft und Wasser – den Golem.

KLOSTER STRAHOV

Außerhalb der Burgbefestigung gelegen und auch von der übrigen Burgstadt abgetrennt, liegt an der uralten Handelsstraße von Nürnberg nach Krakau, am Hang des Petřín, das sanft abfallende Tal krönend, das älteste Prämonstratenserkloster ganz Böhmens, das **Kloster Strahov,** heute an der *Strahovské nám.* gelegen. Mit dem Grün des Petřín und seinem kleinen „Eiffelturm" sowie der langen Dachlinie des Palais Czernin gehören die beiden Türme Strahovs zu der unverwechselbaren Silhouette des linken Moldauufers.

Das erste Kloster der weißen Mönche des Prämonstratenserordens wurde 1140 von König Wladislaw II. gegründet und bestand mit geschichtlich bedingten Unterbrechungen – etwa während der Hussitenkriege – bis 1952. Nach der Auflösung aller Ordensgemeinschaften in der ČSSR wurde Kloster Strahov zum Museum der nationalen Literatur erklärt und am 8. 5. 1953 in dieser Funktion der Öffentlichkeit übergeben. Daß eine so rasche Umwidmung möglich war, erklärt sich aus den seit Jahrhunderten gesammelten Beständen der Klosterbibliothek, die zu den erlesensten des Landes gehört hatte. Strahov besitzt nicht nur eine der ältesten und umfangreichsten, sondern vor allem auch eine der wertvollsten Bibliotheken des Landes. Der Grundstock wurde mit der Gründung vor 800 Jahren gelegt, mit Kodizes in lateinischer, deutscher und tschechischer Sprache, die im Lande selbst entstanden waren. Hinzu kam im Laufe der Zeit nahezu die gesamte Literatur des christlichen Abendlandes bis zum Ende des 18. Jahrhunderts. Heute liegt der Schwerpunkt auf dem nationalen Schrifttum des 19. und 20. Jahrhunderts.

Theologischer, Philosophischer Saal: Wer den schön geschlossenen Bezirk des Klosters betritt, wird zunächst die heute als Galerie benutzte Rochuskirche sehen, die unter Kaiser Rudolf II. zwischen 1603 und 1612 errichtet wurde. An der Fassade der „Neuen" Bibliothek, die zwischen 1782 und 1784 erbaut wurde, findet sich ein Porträtmedaillon Kaiser Josephs II., jenes Herrschers, der im Sinne der Aufklärung die Mehrzahl der Klöster in seinen Ländern aufgehoben hat. Sein Andenken wird hier geehrt, weil er Strahov bestehen ließ und aus einem anderen berühmten Kloster in Mähren, Kloster Bruck bei Znojmo, das gesamte Inventar für den Bau der neuen Bibliothek von den Mönchen Strahovs gekauft werden konnte. Mit den braun und goldfarben schimmernden Regalen wurde der neue Saal eingerichtet und fortan als „Philosophischer Saal" bezeichnet. Der ältere Saal wurde in „Theologischer Saal" umbenannt.

Der **Theologische Saal,** von Giovanni Domenico Orsi für 2254 Gulden im reichen Barockstil erbaut, wurde von Siardus Nosecký, einem Angehörigen des Konvents, zwischen 1723 und 1727 mit herrlichen Deckenfresken versehen. Das Thema ist die in Gott wurzelnde, wahre Weisheit. Die hellfarbigen Szenen in kräftigem Stuckrahmen strahlen Frische und Heiterkeit aus. So heißt es „sapientiam atque doctrinam stulti despiciunt" – die Dummen verachten die Weisheit und Gelehrsamkeit – und man sieht die Narren der Commedia dell'arte in bunten Kostümen, wie sie sich über die lesende Weisheit lustig machen, auf den Büchern herumtrampeln und die schöne Dame bedrohen.

Nicht so leicht ist das Deckenfresko im **Philosophischen Saal** zu lesen. In seiner ganzen Anlage und Durchführung ist es ein monumentaler Abschluß europäischer Deckenmalerei des Barock. Das Fresko in Strahov zeigt die Entwicklung der Menschheit durch die Wissenschaft – ein Thema, das schon die Wende zur Aufklärung mitvollzieht. An den beiden Schmalseiten erkennt man Moses mit den Gesetzestafeln und gegenüber den heidnischen Altar, an dem Paulus predigt. Den figurenreichen Reigen an der Längsseite

Vorhergehende Seiten: Der theologische Saal in der Bibliothek des Klosters Strahov.

führen die großen Gestalten der Menschheitsgeschichte an, die durch ihre Leistungen den Fortschritt ermöglichten. Diogenes und Sokrates sind ebenso darunter wie König David oder Alexander der Große. Neben den Kirchenvätern finden sich auch die böhmischen Landespatrone.

Die Bibliothek Strahov: Die Bibliothek umfaßte 1950 130.000 Bände. Inzwischen ist diese Zahl durch die Übernahme vor allem mittel- und nordböhmischer Klosterbibliotheken auf etwa 900.000 angewachsen. Zu den berühmtesten Werken illuminierter Handschriften zählt das Strahover Evangeliar, die älteste Handschrift der Bibliothek aus dem 9.-10. Jahrhundert, die vermutlich aus Trier stammt oder das Pontifikale des Bischofs Adalbert aus der Zeit Karls IV. ist. Es kann in einer Kopie in Strahov besichtigt werden. Zu den kostbarsten Schätzen zählen auch Unikate wie das 1475 in Pilsen gedruckte Neue Testament, einer der ersten tschechischen Drucke, oder die köstlich illustrierte Geschichte der Reise des Friedrich von Dohna nach Rom aus dem 17. Jahrhundert.

Vieles davon ist in Fotos und Dias in dem kulturgeschichtlich aufgebauten Rundgang im ehemaligen Kreuzgang des Klosters zu besichtigen. In einem eigenen Raum wird des großen Reformators Jan Hus gedacht.

Im oberen Geschoß finden sich zahlreiche Dokumente über die Schriftsteller, die im 19. Jahrhundert das Wiedererwachen des tschechischen Nationalbewußtseins gefördert haben.

Kirche und Klostergarten: Wenn die Klosterkirche geöffnet ist, sollte man diesen ursprünglich romanischen Bau, der im 17. und 18. Jahrhundert umgebaut und reich ausgestattet wurde, besuchen. Zum Klostergebiet gehört auch ein großer Klostergarten, der bis an die Grenzen der Kleinseite die Talmulde zwischen Petřín und dem Burgberg füllt. Einst wandelten hier weißgekleidete Mönche, heute ist es ein beliebter Zufluchtsort für Liebespärchen.

Blick über die Dächer der Kleinseite.

Der einst wilde Strom, der durch Überschwemmungen die Stadt bedrohte, fließt heute friedlich und bedächtig dahin. Stauschwellen, die den Wasserpegel anheben, verlangsamen die Strömung und lassen die Moldau mächtig und majestätisch erscheinen. Sie mündet bei der Stadt Mělník in die Elbe, die dadurch erst schiffbar wird, und verbindet auf diese Weise Prag mit dem man sich mieten kann; sie sind vom sommerlichen Bild der Moldau nicht wegzudenken. Die winterlichen Volksfeste auf dem zugefrorenen Fluß gehören leider der Vergangenheit an, da heute die Stauseen das Wasser aufwärmen und nicht mehr zufrieren lassen. Das älteste **Freibad** an der Moldau von 1840 liegt auf dem Kleinseitener Ufer neben der S.-Cech-Brücke.

Seehafen Hamburg. Der **Prager Moldauhafen** liegt am Flußknie im Stadtteil Holešovice. An den früheren Hafen, einst an einem mittlerweile zugeschütteten Moldauarm im Stadtteil Karlín gelegen, erinnert nur noch die Gaststätte „Hamburk" auf dem Platz *Karlínské nám.* Neben der Frachtschiffahrt dient der Fluß vor allem der Erholung und dem Vergnügen. Bei der Palacký-Brücke liegen **Ausflugsdampfer** vor Anker, die in beide Richtungen verkehren, flußabwärts zum Zoo und dem Prager Vorort Roztoky, flußaufwärts bis zum Stausee Slapy. Sehr beliebt sind die Ruderboote, die

Einen schönen Blick kann man von den Anhöhen des linken Ufers auf das Panorama der hintereinander liegenden Brücken genießen. Die altertümliche Karlsbrücke war 500 Jahre lang die einzige Verbindung beider Ufer. Erst im Zuge der Industrialisierung wurden ab Mitte des 19. Jahrhunderts weitere Brücken gebaut. In dieser Zeit fing man auch an, die Uferstraßen auszubauen. Diesem Wandel hat sich nur das Kleinseitener Ufer in der Nähe der Karlsbrücke entzogen. Die Insel Kampa und die Mündung des Moldauarms *Čertovka* haben ihre natürliche Ursprünglichkeit bewahrt.

viele tschechische Künstler aus, die auf der Suche nach ihrer nationalen Identität waren. So fand die Thematik des Mythos und des damit verbundenen Flusses Eingang in unzählige Lieder, Werke der bildenden Künste und der Literatur. Diese Tradition setzte sich später im Schaffen einer ganzen Künstlergeneration fort, die am Bau des Nationaltheaters, des Symbols der Vollendung der nationalen Wiedergeburt, beteiligt war. Folge-

Vorhergehende Seiten: Die Karlsbrücke. Links: Es war einmal – Wintervergnügen auf der zugefrorenen Moldau. Oben: Frühjahrs-Hochwasser.

einmal auf den Vyšehrad-Mythos zurück, als er den symphonischen Zyklus *Mein Vaterland* komponierte, dessen zweiter Teil *Moldau* wahrscheinlich die berühmteste künstlerische Verewigung des Flusses darstellt. Auf ganz andere Weise beflügelt der Fluß heute noch die Phantasie der Menschen, insbesondere der Kinder, die alle die **Moldauer Wassermänner** aus den Märchen kennen. Die tschechischen Wassermänner mit grünem Frack und Pfeife leben seit Urzeiten in dem nassen Element, kennen jeden Stein und jeden Fisch, sind sehr weise und mit gutem Rat jederzeit zur Hand.

Die Moldau erfuhr auch allerlei Verehrung. Populär ist eine Allegorie der Moldau – eine Statue, die den Brunnen an der Außenseite der Gartenmauer des Palais Clam-Gallas schmückt. Im Volksmund heißt sie **Terezka;** ein wohlhabender Prager hat ihr angeblich sein ganzes Vermögen vermacht. Zur unerschöpflichen Inspirationsquelle wurde der Fluß Ende des 18. Jahrhunderts im Zusammenhang mit der Entstehung der tschechischen Nationalbewegung. Der sagenumwobene Vyšehrad auf dem Felsen über der Moldau übte im Zeitalter der Romantik eine ungeheuere Faszination auf

richtig wurde das Gebäude am Ufer der Moldau errichtet und bildet unweit des Vyšehrad-Felsens eine weitere Dominante im Stadtbild Prags. Das Theater wurde 1881 mit B. Smetanas Oper *Libuše* eröffnet, in der die feierliche Weissagung der mythologischen Fürstin erklingt. Einer anderen Legende zufolge, die in den künstlerischen Bearbeitungen ausgespart wird, hatte Libuše ein sehr prosaisches Verhältnis zu dem Fluß: Es heißt, daß sie ihre Liebhaber, nachdem sie sich mit ihnen vergnügt hatte, vom Vyšehrad-Felsen in die Moldau warf. Der nationale Tondichter Smetana griff noch

MALÁ STRANA – DIE KLEINSEITE

Der Prager Burg zu Füßen liegt die **Kleinseite** *(Malá Strana)*, ein Stadtteil für sich, eine malerische Insel, von der übrigen lärmenden Großstadt durch weite Grünflächen und den gemächlichen Strom der Moldau getrennt. Von den Anhöhen betrachtet, sieht sie aus wie eine Dächerlawine, die zwischen den Hradschin- und Petřín-Hügeln ins Rollen gebracht wurde und am Flußufer zum Stillstand gekommen ist.

1257 wurde sie zur Stadt erhoben und ist somit im Verbund der vier historischen Prager Städte die zweitälteste. Den ersten Aufschwung erlebte die Kleinseite unter Karl IV. In dieser Zeit wurde sie bedeutend erweitert und bekam eine neue Befestigung. Doch erst die katastrophalen Verwüstungen nach einem Großbrand im Jahre 1541 gaben den Anstoß zu einer neuen Be-bauung, die den eigentümlichen Charakter dieses Viertels so formte, wie wir ihn heute noch erschließen können.

Ihre wahre Blüte erfuhr die Kleinseite nach dem Sieg der Katholischen Liga in der Schlacht am Weißen Berg (1620), nach der sich hier viele habsburgertreue, finanzkräftige Adelsfamilien niederließen. Ihrem Ehrgeiz und Geltungsbedürfnis verdanken wir die zahlreichen Paläste, die zwar nach der Verlegung der politischen Verwaltung Böhmens nach Wien meist verlassen wurden, aber bis heute weitgehend von tieferen Eingriffen verschont geblieben sind. Auch die Bürgerhäuser, die oft älteren Ursprungs sind, haben ihre vorwiegend barockisierten Fassaden mit den eigentümlichen Hauszeichen behalten. Man kann daher von einem städtebaulichen Juwel sprechen, ja sogar von einem „Gesamtkunstwerk" des mitteleuropäischen Barock.

Das noch dem Absolutismus verpflichtete rationale Gestaltungsprinzip des Barock, der mit der siegreichen Ge-

Blick über St. Niklas und die Kleinseitener Dächer.

genreformation in Böhmen Einzug hielt, konnte sich aber auf der Kleinseite nicht voll entfalten. Es entstand vielmehr ein organisch gewachsenes, von der Natur mitentworfenes Stadtbild. Mehrere Generationen italienischer und mitteleuropäischer Architekten und Künstler haben es geprägt. So verschmolzen die verschiedenartigen Bürgerhäuser, die kleinen, stillen Plätze und die Paläste mit ihren in die Hänge hineinkomponierten Gärten zu einer originellen und einzigartigen Stilart – dem „Prager Barock".

Vieles Sehenswerte bleibt natürlich hinter den Fassaden verborgen. Man kann sich aber jenseits der Hauptwege der besonderen Atmosphäre hingeben, die nicht zuletzt davon profitiert, daß sich noch längst nicht alles dem touristischen Zugriff erschließt, sondern das meiste seinen Alltag für sich lebt.

Rund um den Kleinseitener Ring: Das Zentrum der Kleinseite war schon immer und ist bis heute der **Kleinseitener Ring** (Malostranské náměstí). Er

wird durch die **St.-Nikolaus-Kirche** (Chrám sv. Mikuláše) und das angrenzende ehemalige Jesuitenkolleg in zwei Plätze geteilt.

Die auffallende Kuppel der St.-Nikolaus-Kirche und ihr schlanker Turm zeigen sich von vielen Stellen aus in einer immer neuen Perspektive. Dieses ungleiche Paar ist zum Wahrzeichen der ganzen Kleinseite geworden. Die Kirche selbst, ein Meisterwerk der barocken Architektur, gehört zu den schönsten ihrer Art. An der Stelle einer gotischen Kirche errichtete der berühmte Architekt Christoph Dientzenhofer Anfang des 18. Jahrhunderts das Hauptschiff mit den Seitenkapellen. Der Chor mit der Kuppel wurde später von seinem Sohn Kilian Ignaz hinzugefügt. Mitte des Jahrhunderts schuf dann A. Lurago den Turm und brachte damit den Bau zum Abschluß. Zu den Besonderheiten der Innenausstattung gehört vor allem das monumentale Deckenfresko im Hauptschiff von J. L. Krakker. Es ist eines der größten in Europa

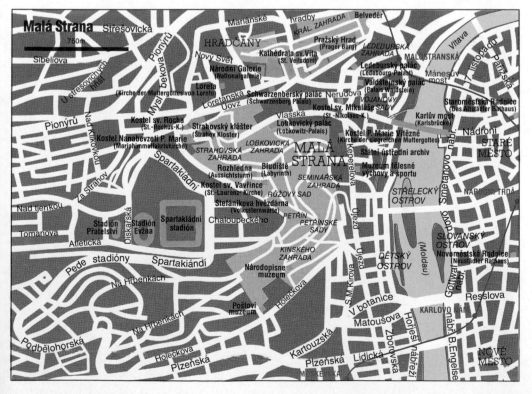

und stellt Szenen aus dem Leben des hl. Nikolaus dar. Ein anderes Fresko von F. X. Palko schmückt die 75 Meter hohe Kuppel. Sie ist so hoch, daß darunter der Aussichtsturm, den man auf dem Petřín-Hügel sieht, genug Platz finden würde. Die Plastiken im Chor und die vergoldete Statue des hl. Nikolaus, des Beschützers der Kaufleute und Seefahrer, stammen von I. F. Platzer d. Ä.

Gegenüber der Kirche steht das **Palais Lichtenstein** mit seiner breiten klassizistischen Fassade. Es gehörte 1620-27 Karl von Lichtenstein, dem „blutigen Statthalter", der maßgeblich für die Hinrichtung der Anführer des Aufstandes von 1618 verantwortlich war. Dieser folgenschwere Aufstand wurde durch den bekannten II. Prager Fenstersturz eingeleitet. Beschlossen wurde diese ungewöhnliche Maßnahme bei einer Beratung der böhmischen Stände im Smiřicky-Haus (oder auch „U Montágů", Nr. 18), das rechts um die Ecke liegt.

Von der St.-Nikolaus-Kirche aus gesehen links fällt das Haus **Zum goldenen Löwen** *(U zlatého lva)* auf. Es ist eines der wenigen reinen Renaissancehäuser auf der Kleinseite und beherbergt auch die Weinstube **U mecenáše.** Solche kleinräumigen Weinstuben, die ihren Charme dem uralten Gemäuer verdanken, sind für die Kleinseite typisch. Schon um das Jahr 1600 wurden hier Gäste bewirtet. Heute ist es allerdings nicht immer leicht, einen Platz zu finden. Für Biertrinker ist seit eh und je die Kneipe **U Glaubiců** ein Begriff. Das gleichnamige Eckhaus, unter dem Bogengang ein Stück weiter unten gelegen, befindet sich im Umbau. Es bleibt also abzuwarten, ob sich die bierreiche Tradition nach der Renovierung wieder durchsetzt.

Nachdem man die Straße **Karmelitská** überquert hat, führt der Bogengang an einem stimmungsvollen Hinterhof vorbei, der sich hinter einem Torbogen verbirgt. Solche kleinen Überraschungen erwarten einen aufmerksamen Spaziergänger überall. Er sollte dabei aber viel Taktgefühl walten

lassen, denn: Auch die sprichwörtliche Gastfreundlichkeit der Tschechen, die vor allem in der Reisesaison strapaziert wird, hat ihre Grenzen.

Die untere Front des Platzes wird rechts vom ehemaligen **Palais Kaiserstein** flankiert. Eine am Haus angebrachte Gedenktafel erinnert daran, daß hier die weltberühmte Opernsängerin Emmy Destinn wohnte. Am linken Ende steht das ehemalige **Kleinseitener Rathaus** (es trägt die Aufschrift *„Malostranská beseda"*). Heute ist es eine wichtige Adresse für alle, die in Prag Jazz hören wollen. Das in den Platz hineinragende, althergebrachte **Café Malostranská kavárna** bietet im Sommer eine der wenigen Möglichkeiten, draußen zu sitzen.

Wenn man die belebte *Mostecká ul.* nach rechts verläßt, wird es plötzlich stiller, und wir betreten eine der verträumten Ecken der Kleinseite. Es gibt einen Durchgang beim Kino „U hradeb", oder man biegt in die *Lázeňská ul.* ein. Das Haus Nr. 6 „V lázních" (In den Bädern) war im 18. Jahrhundert ein Nobelhotel, in dem zum Beispiel Zar Peter der Große weilte. Eine Gedenktafel verkündet, daß hier auch der französische Dichter François René Chateaubriand abgestiegen ist. Eine andere Gedenktafel, am Haus „U zlatého jednorožce" (Zum goldenen Einhorn), gegenüber, macht auf den Aufenthalt Ludwig van Beethovens aufmerksam.

Schönes barockes Interieur findet man in der Kirche **St. Maria unter der Kette** *(Kostel Panny Marie pod řetězem),* der ältesten auf der Kleinseite. Mauerreste ihrer Vorgängerin, einer romanischen Basilika aus dem 12. Jahrhundert, sind noch in der rechten Wand des Vorhofes zu sehen.

Ein Abstecher nach rechts führt uns zu dem langgestreckten **Malteser Platz** *(Maltézské nám.)* mit einer Plastik, die Johannes den Täufer darstellt, einem Werk von F. M. Brokoff. Zwei Paläste auf diesem Platz verdienen unsere Aufmerksamkeit: das **Palais Turba** (Japanische Botschaft) mit seiner Rokokofassade und das frühbarocke, später umgebaute **Palais Nostitz** (Niederländische Botschaft, Kultusministerium), das den Platz im Süden abschließt.

Gleich neben der St.-Maria-Kirche schließt sich ein anderer kleiner Platz an – *Velkopřevorské nám.* Auf der einen Seite steht das **Palais Buquoy,** in dem die französische Botschaft residiert, und gegenüber der ehemalige **Palast des Malteser Großpriors,** der zu den schönsten auf der Kleinseite gehört. Heute befindet sich darin das **Musikinstrumentenmuseum** mit einer sehenswerten Sammlung, die auch für Laien von Interesse sein dürfte. In dem angrenzenden „Maltesergarten" finden im Sommer Konzerte statt.

Eine kleine Brücke verbindet diesen Platz mit der **Insel Kampa.** Sie wird von der Kleinseite durch einen Seitenarm der Moldau, genannt „*Čertovka*", getrennt. Ein altes Mühlenrad kann man ein Stück weiter stromaufwärts entdecken. Die Parkanlage, entstanden durch die Verbindung ehemaliger Pa-

lastgärten, bietet einen schönen Ausblick auf die Altstadt. Zwischen der Karlsbrücke und der Mündung der „*Čertovka*" liegt am Wasser eine kleine Häusergruppe, die im Volksmund den stolzen Namen „Prager Venedig" trägt.

Die Karlsbrücke: Über eine Doppeltreppe steigt man hinauf zur **Karlsbrücke** *(Karlův most),* die zusammen mit der Silhouette des Hradschin zum Symbol von Prag geworden ist. Schon im 10. Jahrhundert wird eine Holzbrücke erwähnt, die die beiden Moldauufer ungefähr an dieser Stelle verbunden hat. Wahrscheinlich 1165 wurde sie dann durch die steinerne Judithbrücke ersetzt, die zweitälteste Steinbrücke in Mitteleuropa. Nachdem die Judithbrücke durch Hochwasser zerstört worden war, ließ Kaiser Karl IV. im Jahre 1357 von seinem Dombaumeister Peter Parler eine neue errichten. Sie erhielt den Namen des Kaisers. Auch diese Brücke wurde mehrmals durch Hochwasser beschädigt, stürzte aber niemals ein. Einer hartnäckigen Legen-

**Links: Bogenschütze im Waldsteingarten.
Rechts: Hauszeichen „Zu den drei Geigen".**

de zufolge hat man zwecks besserer Haltbarkeit dem Mörtel Eier beigemengt. Es ist vielleicht auch kein Zufall, daß die Grundsteinlegung auf den 9. Juli fiel, den Tag der Konjugation der Sonne mit dem Saturn. Die Astrologen, die damals bei wichtigen Entscheidungen oft zu Rate gezogen wurden, hielten es jedenfalls für einen äußerst günstigen Moment. Auf solche Weise hat man schon immer versucht, der Brücke ein Geheimnis zu entlocken. Was es auch immer gewesen sein mag, dieses 600 Jahre alte Bauwerk verdient auf alle Fälle Bewunderung, denn es hielt sogar dem Straßenbahn- und Autoverkehr des 20. Jahrhunderts stand, bis es als Fußgängerzone seine wohlverdiente Ruhe zurückgewann.

Nach dem Vorbild der Engelsbrücke in Rom entstand ab Ende des 17. Jahrhunderts die Galerie der vorwiegend barocken Statuen (heute zum Teil durch Kopien ersetzt). Sie verleihen der Brücke, im Wechselspiel mit ihrer gotischen Architektur, das charakteristi-

Der Weg führt über die Mostecká von der Karlsbrücke zum Kleinseitener Ring.

sche Antlitz. An der Ausführung waren die berühmten Künstler Johann Brokoff, seine Söhne Ferdinand Maximilian und Michael Josef und Matthias B. Braun beteiligt. Von letzterem stammt die vielleicht künstlerisch wertvollste Plastik: die **Statuengruppe der hl. Luitgard** (1710). Sie stellt die blinde Heilige dar, wie ihr Christus erscheint und gestattet, seine Wunden zu küssen.

Die älteste Statue auf der Brücke ist der **hl. Johannes von Nepomuk** (1683), entworfen von M. Rauchmüller und J. Brokoff. Die Sockelreliefs stellen Szenen aus dem Leben des 1729 heiliggesprochenen Generalvikars dar. So spielt ein Relief auf die Legende an, der zufolge die Frau Wenzels IV. (eines Sohnes Karls IV.) dem Geistlichen die Beichte abgelegt hatte, woraufhin der König ihn bedrängte, ihm daraus zu berichten. Als Johannes sich standhaft weigerte, das Beichtgeheimnis zu brechen, ließ Wenzel IV. ihn 1393 unweit dieser Stelle ertränken. In Wirklichkeit hat seine verspätete Heiligsprechung wohl eher damit zu tun, daß das Andenken an den Reformator Jan Hus verdrängt und durch einen neuen Heiligen ersetzt werden sollte.

Zu den populären Figuren zählt auch die **Bruncvík-Statue** auf einem Brückenpfeiler am Ufer der Insel Kampa. Das Schwert dieses legendären, dem Rolandepos nahestehenden Ritters – so sagt man – sei in den Pfeiler eingemauert und könne in der schwersten Stunde des Landes zu dessen Rettung wieder herausgeholt werden.

Am Ende der Brücke stehen die **Kleinseitener Brückentürme,** mit einem Torbogen in der Mitte. Unter den Wappen, die ihn schmücken, befindet sich auch das der Altstadt. Die Brücke, einschließlich der Kleinseitener Türme, gehörte nämlich zur Altstadt. Daher steht das ehemalige Zollhaus auch auf dieser Seite der Brücke, und zwar links vor dem Tor. Der kleinere Turm stammt noch von der Judithbrücke, nur seine Renaissancegiebel und der Wandschmuck sind später hinzugekommen. Der höhere Turm aus dem 15.

Jahrhundert ist als Gegenstück zum Altstädter konzipiert worden. Sein Wehrgang ist für die Öffentlichkeit zugänglich. Ein Blick von oben in Richtung Altstadt macht anschaulich, warum Prag auch die „Stadt der hundert Türme" genannt wird.

Die Gärten – Palais Waldstein: Von der Karlsbrücke flußabwärts lockt die Kleinseite mit ihren Palastgärten, die zum Teil in den Sommermonaten der Öffentlichkeit zugänglich sind. Schon von der Brücke aus kann man das Renaissancehaus *U tří pštrosů* (Zu den drei Straußen) sehen, dessen Sgraffitoreste darauf hinweisen, daß es einmal einem königlichen Federschmucklieferanten gehörte. Dieses Haus weist uns den Weg zur Straße *U lužického semináře,* wo der ehemalige **Klostergarten** *Vojanovy sady* liegt. In diesem Park mit zwei barocken Kapellen werden des öfteren moderne Plastiken ausgestellt. Auf keinen Fall sollte man sich den Besuch des **Waldsteingartens** entgehen lassen, der von der *Letenská ul.* zu

betreten ist. Es wird auf ihn später wieder im Zusammenhang mit dem Palais Waldstein eingegangen werden.

Wem das tschechische Bier, in diesem Fall das dunkle, nicht nur ein Begriff, sondern ein Bedürfnis ist, dem sei die traditionsreiche Gaststätte **U sv. Tomáše** (Zum St. Thomas) in der gleichen Straße empfohlen. Der Biergarten dieser ehemaligen Klosterbrauerei (gegr. 1358) ist zwar nicht mehr in Betrieb, und die eigene Bierproduktion ist auch schon eingestellt worden, in dem Kellergewölbe schmeckt das Bráník-Bier aber unvermindert gut. Zu dem früheren Kloster der Augustiner-Eremiten gehört natürlich auch eine Kirche, die schon im 13. Jahrhundert gegründet wurde. Die heutige barocke Gestalt gab ihr K. I. Dientzenhofer, innen wurde sie reich ausgeschmückt mit Werken böhmischer Barockkünstler.

Auf dem Streifzug durch die Kleinseitener Gärten sollte man auch einen Blick in die U-Bahn-Haltestelle *Malostranská* werfen, in der sich eine Kopie

Kajaktraining im Teufelsbach.

der *Hoffnung* von M. B. Braun befindet. In dem Atriumgarten sind einige Arbeiten aus seiner Werkstatt zu sehen. Unser Weg führt dann weiter durch die *Valdštejnská ul.* an Palästen vorbei, deren Gärten schon auf dem Hang unter der Burg liegen. Diese Lage bot den Künstlern ideale Voraussetzungen für ihre Arbeit. Drei dieser terrassenartig gestalteten Gärten, die sich der Adel nach italienischen Vorbildern bauen ließ, kann man aufsuchen. Der Eingang befindet sich neben dem **Palais Kolovrat,** das die Nummer 10 trägt.

Die *Valdštejnská ul.* und der **Waldsteinplatz** *(Valdštejnské nám.),* in den sie mündet, begrenzen von zwei Seiten den weiträumigen Komplex des **Palais Waldstein.** Diesen ersten Barockpalast Prags ließ zwischen 1624-30 der berühmt-berüchtigte Feldherr Albrecht von Waldstein bauen und setzte damit seinem Ehrgeiz ein würdiges Denkmal. Der Held aus Schillers *Wallenstein* hatte sich durch kriegerisches Geschick einerseits und durch Intrigen und Verrat andererseits hochgedient und trat im Dreißigjährigen Krieg in die Dienste des Habsburgers Ferdinand II. Für ihn errang er wichtige Siege. Das brachte dem kaiserlichen Generalissimus nicht nur Macht, sondern mit dem Herzogtitel auch Reichtum, den er als Hofgünstling besonders gut zu vermehren verstand. Dies nicht zuletzt durch die Beteiligung an einem großangelegten Münzschwindel, so daß er imstande war, sich eine eigene Armee zu halten. Seine steile Karriere nahm ein jähes Ende, als er, heimlich mit dem Gegner verhandelnd, taktische Manöver durchführte, die ihn letztlich an die böhmische Krone heranführen sollten. Der Kaiser durchschaute ihn jedoch und ließ ihn 1634 in Eger ermorden.

Entsprechend den politischen Ambitionen Waldsteins ist auch seine großangelegte Residenz geraten, die der Prager Burg Konkurrenz machen sollte. Durch Aufkauf und Enteignung von mehr als zwanzig Häusern gewann er den Platz für sein gigantisches Bauvorhaben. Sogar das Stadttor mußte

weichen, um den ausschließlich italienischen Architekten und Künstlern genügend Raum zu bieten, ihrem Auftraggeber einen mit allem erdenklichen Luxus der damaligen Zeit ausgestatteten Palast bauen zu können.

Die eher zurückhaltende Außenfassade zum Platz hin bietet jedoch bei weitem nicht denselben Eindruck wie ein Besuch des bereits erwähnten Palastgartens. Der größte Stolz des Hausherren war – neben einer künstlichen Grotte, einer Voliere und einem Teich – die dreibogige, reich mit Fresken geschmückte **Loggia** (sala terrena), die heute als Podium für Freiluftkonzerte dient. Die im Garten verteilten Bronzestatuen mythologischer Gottheiten stammen von Adriaen de Vries, dem Hofbildhauer Kaiser Rudolfs II. Es sind allerdings Kopien, die Originale kamen als Kriegsbeute nach Schweden (1648) und schmücken jetzt den Park des Schlosses Drottningholm bei Stockholm. Eine andere Arbeit dieses niederländischen Künstlers ist der mit einem

Drachen kämpfende Herkules inmitten des kleinen Teiches. Zu beachten ist auch der Brunnen mit der Plastik der Gottheiten Venus und Amor.

Gegenüber der Loggia liegt die ehemalige **Reitschule,** in der heute Kunstausstellungen stattfinden.

Vom Waldsteiner Platz führt die *Tomášská ul.* zurück zum Kleinseitener Ring. Vorbei am Haus „Zur goldenen Brezel" (Nr.12), kommt man schließlich zu dem barocken Haus „Zum goldenen Hirsch" mit einem der schönsten Hauszeichen Prags. Es zeigt den heiligen Hubertus mit einem Hirsch. Die Plastik stammt von F. M.Brokoff.

Die Hauszeichen dienten vor der Einführung der Hausnummern durch Maria Theresia im 18. Jahrhundert zur Kenntlichmachung der Häuser. Sie bezogen sich auf den Beruf des Besitzers, seinen Stand oder auf die Umgebung des Hauses. Beliebt waren Tierzeichen oder andere symbolische Zeichen weltlichen und religiösen Charakters. Beim Wechsel des Besitzers behielt das Haus

sein ursprüngliches Zeichen. Manchmal hat der neue Besitzer sogar den Namen des Hauses übernommen.

Es empfiehlt sich, von hier aus zum Waldsteiner Platz zurückzukehren und einen kleinen Abstecher in die *Sněmovní ul.* zu machen. Diese Straße bildet mit der anschließenden Sackgasse *U zlaté studně* (Zum goldenen Brunnen) eine malerische Ecke. Am Ende der kleinen Gasse liegt eine versteckte Gartenkneipe, die den gleichen Namen wie die Straße trägt. Zu beachten ist auch das Renaissancehaus **Zum goldenen Schwan** *(Sněmovní ul. Nr.10),* das einen schönen Innenhof verbirgt. Zurück geht es in Richtung *Thunovská ul.,* die bei der **Schloßstiege** einmündet. Diese sogenannte Neue Schloßstiege ist nicht mit der Alten zu verwechseln, die zum anderen Ende der Burg führt. Die Neue ist zwar viel älter als die Alte, aber so ist es nun mal in Prag.

Nerudagasse: Parallel zu der Schloßstiege *(Zámecké schody)* verläuft die **Nerudagasse,** *Nerudova ul.,* benannt nach dem bedeutenden tschechischen Dichter, Schriftsteller und Journalisten Jan Neruda (1834-1891), der im oberen Teil der Straße im Haus Nr. 47 **Zu den zwei Sonnen** wohnte und sich in seinem Werk von dem Leben und Treiben auf der Kleinseite inspirieren ließ. Seinen Namen hat übrigens der chilenische Dichter Ricardo Eliecer Neftalí Reyes y Besoalto angenommen, der Nobelpreisträger Pablo Neruda.

Viele der meist im Renaissancestil erbauten Bürgerhäuser in dieser Straße wurden später barockisiert und tragen oft ein Hauszeichen, das sich nicht immer mit dem überlieferten Hausnamen deckt. So hat zum Beispiel das Haus Nr. 6 **Zum roten Adler** im Zeichen zwei Engel. Im Falle des Hauses Nr. 12 **Zu den drei Geigen** ist bekannt, daß hier mehrere Generationen von Geigenbauern lebten. Weitere Zeichen sieht man an den Häusern **Zum goldenen Kelch** (Nr. 16), **Zum hl. Johannes von Nepomuk** (Nr.18), **Zum Esel bei der Wiege** (Nr.25) und anderen. In der ehemaligen Apotheke **Zum goldenen**

Links: Ansichten von Prag gibt es auf der Karlsbrücke in allen Variationen zu kaufen. Rechts: Eine typische Kleinseitener Stiege.

Löwen (Nr. 32) befindet sich jetzt ein kleines pharmazeutisches Museum.

Es sind wieder, wie so oft, zwei Botschaften, die sich in den beiden barokken Palästen in dieser Straße niedergelassen haben. Auf der linken Seite ist es das **Palais Morzin** (Rumänische Botschaft). Sein bemerkenswerter Fassadenschmuck – die den Balkon tragenden heraldischen Mohrengestalten, die Allegorien des Tages und der Nacht und die Plastiken der vier Weltteile – stammen von F. M. Brokoff. Etwas höher gelegen ist das Palais **Thun-Hohenstein** (Italienische Botschaft), geschmückt mit zwei Adlern mit ausgebreiteten Schwingen, einem Werk von M.B.Braun. Die beiden römischen Göttergestalten stellen Jupiter und Juno dar.

Der Palast ist mit der folgenden **St.-Kajetán-Kirche** durch zwei Gänge verbunden, unter denen ein Treppenaufgang zur Schloßstiege führt. Schräg gegenüber setzt sich diese Querverbindung fort zur Straße Tržiště.

Am Ende der Nerudagasse öffnet sich ein herrlicher Blick auf das **Palais Schwarzenberg,** das im Zusammenhang mit dem Hradschiner Platz erwähnt wurde. Dorthin gelangt man entweder rechts über die **Burgrampe** oder links über die Rathaustreppe. Geradeaus verläßt man die Kleinseite in Richtung **Kloster Strahov.**

Hinter den letzten Häusern der Nerudagasse verbirgt sich ein Labyrinth von Hinterhöfen, die terrassenartig in das Tal zwischen den beiden Hügeln herabfallen. Unten liegen ein paar Gassen mit einem fast dörflichen Charakter. Man muß ein Stück zurückkehren und gelangt zum **Rokokopalais Bretfeld** (Nr.33), dessen Portal ein St.-Nikolaus-Relief schmückt. In diesem Haus fanden früher berühmte Bälle statt, an denen angeblich auch Giacomo Casanova teilnahm.

Von hier aus geht es die Treppe *Jánsky vršek* hinunter und dann gleich rechts in die *Sporkova ul.,* die uns an dem erwähnten Abhang entlangführt. Sie macht dann einen Bogen und mündet in die *Vlašská ul.,* direkt gegenüber

dem **Palais Lobkowitz.** In diesem prachtvollen Barockpalast ist die Botschaft der Bundesrepublik Deutschland untergebracht. Wegen seiner Aussicht ist der Palastgarten, der teilweise zugänglich ist, ein lohnenswertes Ziel.

Will man nun die Grünanlagen am **Petřín** oder das Kloster Strahov aufsuchen, muß man der *Vlašská ul.* nach rechts folgen. Man kann aber auch in die entgegengesetzte Richtung weitergehen und die Seilbahn benutzen, die zwischen der Straße *Újezd* und dem Gipfel des Petřín-Hügels verkehrt. Auf dem Weg liegt das **Palais Schönborn** (Botschaft der USA). Sein herrlicher Garten, den man von der Burgrampe sehen kann, ist nicht zugänglich. Dafür kann man dem einzigartigen barocken Terrassengarten des **Palais Vrtba** *(Karmelitská ul. Nr.25)* einen Besuch abstatten. Es ist ein kleiner, aber um so stimmungsvollerer Garten mit einer *sala terrena* und Plastiken von M. B. Braun.

Im weiteren Verlauf der Straße *Karmelitská* kommt man zur **Kirche St. Maria de Victoria** *(Kostel Panny Marie Vítězné),* der ersten barocken Kirche in Prag. Sie wurde als Denkmal für die von den Habsburgern angeführte Gegenreformation umgebaut. Das einheitliche Mobiliar stammt aus dem 17. Jahrhundert, die Heiligenbilder am Altar von P. Brandl. In dieser Kirche wird das **„Prager Jesulein"** aufbewahrt, das als wundertätig geehrt wird und weltweiten Ruhm erlangte. Es ist eine aus Spanien stammende Wachsfigur, die stets in eines ihrer 39 kostbaren Gewänder gekleidet ist.

Der Petřín: Von da ist es nicht mehr weit zu der erwähnten **Petřín-Seilbahn,** die auch am Aussichtsrestaurant *„Nebozízek"* hält. Sie wird zwar Drahtseilbahn genannt, die Kabinen hängen aber nicht auf einem Seil, sondern bewegen sich auf Gleisen. Diese eigentümliche Konstruktion hängt mit dem ursprünglichen Antrieb zusammen. Die alten Kabinen hatten einen Wassertank, der immer oben aufgefüllt und unten geleert wurde. Auf diese Weise wurde die hinauffahrende Kabine allein durch die Schwerkraft der hinabfahrenden bewegt. Diese Bahn wurde im Jahre 1891 in Betrieb genommen. In den sechziger Jahren wurde die alte Anlage abgebaut und durch eine moderne Konstruktion ersetzt.

Der Park auf dem **Petřín** (Laurenziberg) ist durch Zusammenlegung von Gärten entstanden, die nach und nach die ehemaligen Weinberge abgelöst haben. Auf der Höhe der oberen Station der Seilbahn verläuft ein herrlicher Aussichtsweg, der durch die ganze Grünanlage bis zum Kloster Strahov führt. Neben einem wunderschönen Ausblick über die Stadt bietet der Park einige Sehenswürdigkeiten.

In der südlichsten Ecke angefangen, ist es zuerst die **Villa Kinsky** mit dem Ethnographischen Museum. Auf dem Weg in Richtung Norden liegt eine kleine Holzkirche, ein wunderschönes Beispiel des Volkskunsthandwerks des 18. Jahrhunderts. Sie stammt aus der Karpato-Ukraine und wurde im Jahre 1929 an dieser Stelle neu errichtet. Es

handelte sich um ein Geschenk der Einwohner eines kleinen Dorfes aus diesem Gebiet, das nach dem Ersten Weltkrieg an die Tschechoslowakei und nach dem Zweiten Weltkrieg an die Sowjetunion angeschlossen wurde.

Die „**Hungermauer**", auf die man später stößt und die den Berghang hinunterführt, ist ein Teil der Stadtbefestigung, die Karl IV. bauen ließ. Einem Gerücht zufolge sollte damals diese Beschäftigungsmaßnahme helfen, den Hunger zu bekämpfen. In der Nähe der Mauer befindet sich auch die **Volkssternwarte,** ein beliebter Treffpunkt von Amateurastronomen aus der näheren und weiteren Umgebung.

Auf dem Gipfel des Hügels steht ein **Aussichtsturm,** eine 60 Meter hohe Nachahmung des Eiffelturms, die anläßlich der Prager Jubiläumsausstellung im Jahre 1891 errichtet wurde. Unweit des Turms liegen die **St.-Laurentius-Kirche** und ein **Spiegellabyrinth.** Letzteres ist besonders für Kinder ein abwechslungsreiches Erlebnis.

KNEDLÍKY UND POWIDL

Oft genug hört man, daß die böhmische Küche für den westlichen Magen alles andere als gesund und gut verdaulich ist. Hat man sich damit abgefunden, daß Gemüse und Salat Mangelware sind, in einfachen Beisl'n oder Kneipen das Verhältnis Fleisch zu Knödel eins zu vier ist, Tomatenpaprika und eingelegte Prager Gurken die Standardbeilage sind und nahezu überall Prager gekochter

Böhmische Küche: Wo aber geht man hin, um einen richtigen böhmischen Schweinebraten *(vepřová pečeně)* mit böhmischen Knödeln *(knedlíky)* und Kraut *(kyselé zelí)* zu essen? Schnell, billig und gut bekommt man ihn im **„U Bonaparta",** *Prag 1, Nerudova 29,* dazu ein 12° Bier aus Smichov. Durchaus auch in böhmischer Tradition, nur eben koscher, wird im **Jüdischen Restau-**

Schinken in hunderterlei Variationen angeboten wird, dann kann man sich getrost auf eine Entdeckungsreise begeben. Die einzige Hürde, die es vor einer deftigen böhmischen Mahlzeit noch zu nehmen gilt, ist der Ober. So kann es durchaus vorkommen, daß alle Tische „reserviert" sind, obwohl nirgendwo jemand sitzt, geschweige denn jemand kommt.

Alle großen Prager Hotels bieten mehrere Restaurants und Snack-Bars an. In jedem Hotel der obersten Preisklasse findet sich dabei neben einem böhmischen auch ein französisches Restaurant.

rant (III. skupina) in *Prag 1, Maiselova 18,* gekocht. Soll das Ganze etwas feiner sein, umrahmt von Aperitif und mehreren Gängen, dann ist das **„Pelikan",** *Prag 1, Na příkopě 7,* eine gute Anlaufstelle. Nur hier, II. skupina (Preisklasse), muß man vorbestellen. In einfachem, nicht mit riesigen weißen Servietten überladenem Ambiente läßt es sich hier bei gutem Essen und mährischen Weinen durchaus aushalten. Empfehlenswert sind hier auch die vom Ober in fließendem Deutsch vorgetragenen Menüs. Da kann das sich mit alt-tschechischen Spezialitäten rühmende **„Staropražská**

Rychta" im Keller am *Wenzelsplatz 7* nicht mithalten. Gefürchtet unter den Hotelgästen der dazugehörigen Hotels Zlatá Husa und Ambassador sind die meist donnerstags stattfindenden Schlachtfeste. Gleich daneben, am *Wenzelsplatz 5*, liegt ebenfalls im Keller der **Halali-Grill** mit Wildspezialitäten (I. skupina) und einer Zigeunerkapelle. Ebenso empfehlenswert in *Prag 3, Jagellonská 21*, ist das **Myslivna** (II.skupina) gleichfalls mit Wildspezialitäten. Soll es einmal Fisch sein, gegrillt z. B., dann empfiehlt sich am *Wenzelsplatz 43* der in der Passage gelegene **Baltic Grill.**

essen nach der Oper. Umgeben von amerikanischen, deutschen und italienischen Diplomaten speist man, wie sollte es anders bei dieser Auswahl an Gästen sein, hervorragend in der **Lobkovická vinárna,** *Prag 1, Malá Strana, Vlašská 17.*

Fast food: Für alle Fast-food Freunde gibt es seit kurzem das **arbet,** *Na příkopě.* Eine genauere Beschreibung ist überflüssig, man braucht nur den rot-gelben Pommes-Tüten in der *Na příkopě* zu folgen. Und wer es deftig mag, kann außerdem bis in die Nacht hinein Bratwürste am Wenzelsplatz zu sich nehmen.

Gut und fein: Die Prager mögen's gerne flambiert, und diese Kunst beherrschen die Ober in dem ehemaligen Ursulinerinnenkloster in der *Národní tř.,* in der **Klášterní vinárna,** wo auch die leckeren *palačinky,* dünne Pfannkuchen, mit Eis und Früchten gefüllt, noch einmal im brennenden Alkohol gewendet werden. Da es gleich neben der neuen Bühne und dem Nationaltheater liegt, ist es eine gute Adresse für ein spätes Abend-

Ausländisch: Wer von Knödeln und Schweinernem genug hat, dem bietet sich als Rettung die **Trattoria Viola,** *Národní tř. 7* (II.skupina), an. Hier gibt es eine interessante Kombination von italienischer Küche und beschränkten böhmischen Zutaten. Immerhin ein Pluspunkt: Es gibt auch Chianti-Wein. Indisch und dazu äußerst vornehm geht es im **Indická restaurace,** *Prag 1, Nové Mesto, Štěpánská 63,* zu. Besonderer Beliebtheit erfreut sich auch das **Čínská restaurace,** *Prag 1, Nové Město, Vodičkova 19.* Drei bis vier Tage Vorbestellung sind hier allerdings keine Seltenheit.

Links: Eine alte Prager Bierstube aus der Zeit vor 1900. Oben: Frühstückstische im Hotel Evropa.

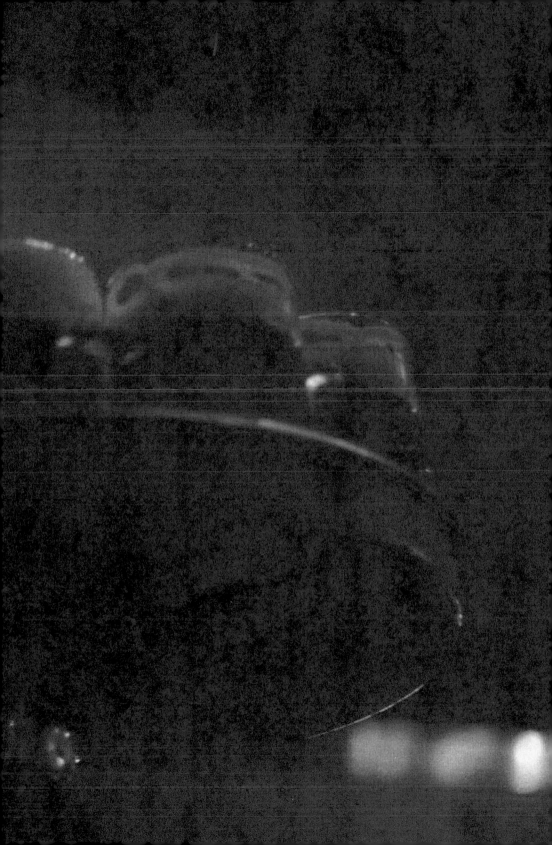

STARÉ MĚSTO – DIE ALTSTADT

Die Prager **Altstadt** *(Staré Město)* breitet sich am rechten Moldauufer rund um den Altstädter Ring aus. Dem Verlauf der nicht mehr vorhandenen Stadtbefestigung folgen im wesentlichen die Hauptstraßen: *Národní třída, Na příkopě* und *Revoluční*. Wie der Name „Am Graben" *(Na příkopě)* sagt, entstanden sie anstelle des alten Wehrgrabens, der die Altstadt von der Neustadt trennte. Diese beiden Viertel zusammen bilden das Zentrum Prags.

Die Altstadt hat aber nach wie vor ihren eigenständigen Charakter beibehalten. Der Verlauf der Straßen und die Anordnung der Plätze sind in vielen Fällen seit dem Mittelalter unverändert geblieben. Ursprünglich lag die Altstadt zwei bis drei Meter unter dem heutigen Straßenniveau. Das Gebiet war jedoch immer wieder von Überschwemmungen bedroht und wurde daher seit Ende des 13. Jahrhunderts nach und nach aufgeschüttet, so daß viele Häuser in ihren Kellergeschossen romanische Räume verbergen. Auf diesen Fundamenten ist der historische Kern der Altstadt aufgebaut. Jede Epoche hat uns ihre Zeichen hinterlassen. Der übermächtige Einfluß des Barocks ist dabei nicht zu übersehen. Er hat sich aber nur in einzelnen Bauten verwirklicht, die Struktur des Stadtteils hat er nicht verändert. Der einzige große Eingriff bleibt das monumentale Bauwerk des Jesuitenkollegs Klementinum. Hier und da entdeckt man auch Spuren des 19. und 20. Jahrhunderts, denn im Zusammenhang mit dem Ausbau des Moldauufers konnte sich das großstädtische Bild durchsetzen. Aber wenn man von der Sanierung der jüdischen Stadt absieht, hat das Viertel kaum an Charme verloren.

Das heutige Straßenbild wird nach wie vor durch den ununterbrochenen Wechsel von Häusern mit den verschiedenartigsten Fassaden geprägt. Es ist ein lebendiger Stadtteil mit einer sehr ausgewogenen Mischung von Wohnhäusern, Büros, Geschäften, kleinen Betrieben, mehreren Hochschulen und Freizeiteinrichtungen, die ihm alle zusammen sein Gesicht geben.

Die ersten historisch nachgewiesenen Siedlungen auf dem Gebiet der Altstadt entstanden im 10. Jahrhundert. Sie konzentrierten sich um die Kreuzung dreier wichtiger Handelswege, die bei der Moldaufurt, ein Stück flußabwärts von der heutigen Karlsbrücke, aufeinandertrafen. Einem Bericht aus dieser Zeit zufolge erstreckte sich anstelle des heutigen Altstädter Rings ein bedeutender Marktplatz mit zahlreichen Steinhäusern. Im Laufe der Zeit wuchs dieser Marktflecken an, und Anfang des 13. Jahrhunderts wurde er mit einer Stadtmauer befestigt. Um 1230 erhielt die Siedlung das Stadtrecht. Zu dieser Zeit konnte man schon von einer – im europäischen Maßstab – großen Stadt sprechen. 1338 erwarben die Bürger der Altstadt das Recht auf

Vorhergehende Seiten: Pilsener, Budweiser… Unten: Das Jan-Hus-Denkmal.

116

ein eigenes Rathaus, und in der folgenden Zeit, unter Karl IV., erlebte sie einen wirtschaftlichen und kulturellen Aufschwung. 1348 wurde die Karls-Universität gegründet, die älteste Universität in Mitteleuropa. Auch wenn später die Bedeutung der ehemaligen kaiserlichen Residenzstadt abnahm, behielt die Altstadt ihre führende Position innerhalb Prags. Beim Zusammenschluß der vier eigenständigen Städte zu einer Verwaltungseinheit (1784) wurde das **Altstädter Rathaus** zum Sitz der Hauptverwaltung. Heute wird nur noch der große Sitzungssaal zur Repräsentation benutzt. Das Neue Rathaus liegt nicht weit davon entfernt.

Der Altstädter Ring: All die geschäftigen Straßen an der Grenze zur Neustadt führen jeden Besucher, der von da aus die Altstadt betritt, unwillkürlich zum **Altstädter Ring** (*Staroměstské náměstí*). Die strahlenförmig von allen Seiten auf den Platz zugehenden Straßen machen ihn zu einem natürlichen Mittelpunkt.

Dem Andenken des großen Reformators Jan Hus ist das zu seinem 500. Todestag (6. Juli 1915) errichtete **Denkmal** in der Mitte des Platzes gewidmet. In der jüngsten Geschichte wurde der Altstädter Ring auch für große Versammlungen benutzt.

Die Häuser an der Ostseite des Platzes bilden eine einzigartige Kulisse. Diese für die Altstadt typische unvermittelte Gegenüberstellung verschiedener Baustile und die charakteristischen Türme der Teynkirche geben dem Altstädter Ring seine besondere Note. Links präsentiert sich das **Palais Kinsky** mit seiner spätbarocken Fassade, die schon Rokoko-Elemente beinhaltet. Erbaut wurde es von A. Lurago nach Plänen von K. I. Dientzenhofer; der Zusammenarbeit der beiden verdanken wir auch die St.-Nikolaus-Kirche auf der Kleinseite. Heute befindet sich hier die Graphiksammlung der Nationalgalerie. Rechts vom Palais steht das gotische Haus **Zur Glocke** (*Dům U zvonů*), das unlängst restauriert wurde

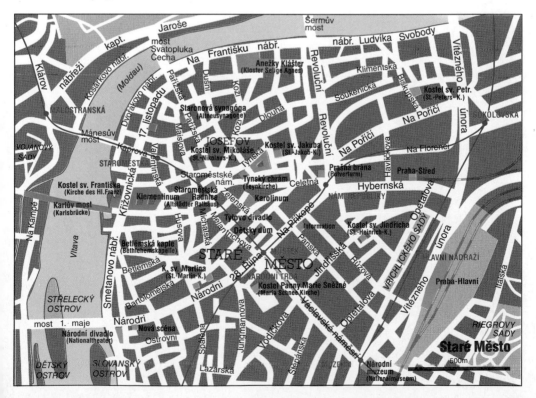

117

und seine ursprüngliche Fassade zurückbekam. In den sehenswerten Innenräumen finden wechselnde Ausstellungen statt. Die beiden benachbarten Häuser verbindet ein Bogengang mit Rippengewölbe. Die linke, ursprünglich gotische **Teynschule** wurde im Stil der venezianischen Renaissance umgebaut. Rechts schließt das frühklassizistische Haus **Zum weißen Einhorn** an.

Durch die Teynschule oder von der Zeltnergasse *(Celetná ul. Nr.5)* aus gibt es einen Zugang zur **Teynkirche** *(Týnský chrám)*. Nach einer romanischen und einer frühgotischen Kirche ist sie als dritte an dieser Stelle 1365 errichtet worden. Bis 1621 diente sie den Hussiten als Hauptkirche. Das hohe Hauptschiff wurde nach einem Brand barock eingewölbt. Die Bilder am Hauptaltar und an den Seitenaltären stammen von K. Škréta, dem Begründer der böhmischen Barockmalerei. Beachtenswert sind noch die gotische Madonna (im nördlichen Seitenschiff), die gotische Kanzel und das älteste erhaltene Tauf-

becken von Prag (1414). Rechts vor dem Hauptaltar befindet sich die Grabplatte des dänischen Astronomen Tycho Brahe (1546-1601), der am Hof Rudolfs II. wirkte. Eine Kuriosität ist das Fenster rechts neben dem Südportal, durch das man aus dem benachbarten Haus den Kircheninnenraum einsehen kann. Einer, der auf diese Weise von seiner Wohnung aus den Gottesdienst miterleben konnte, war zeitweilig der Schriftsteller Franz Kafka.

Die barocke **St.-Nikolaus-Kirche** *(Kostel sv. Mikuláše)* auf der anderen Seite des Platzes ist auch ein Werk von K. I. Dientzenhofer. Die Statuen an der Fassade stammen von A. Braun, einem Neffen von M. B. Braun. Die ungewöhnlichen Proportionen der Kirche erklären sich daraus, daß ursprünglich Häuser davorstanden, die die Kirche vollständig von dem Platz trennten. Es ist interessant zu sehen, wie es dem Architekten gelungen ist, auf dem verhältnismäßig kleinen Raum ein so vollkommenes Bauwerk entstehen zu lassen. Links neben der Kirche stand übrigens das Geburtshaus von Franz Kafka.

Das Altstädter Rathaus: Den Raum des kleinen Parks gegenüber der Kirche nahm früher ein neugotischer Flügel des **Altstädter Rathauses** *(Staroměstská radnice)* ein. In den letzten Tagen des Zweiten Weltkrieges wurde er zerstört. Wenn man um den Rathausturm herumgeht, der in den Altstädter Ring hineinreicht, wird der Blick frei auf den historischen Teil des Rathauses. Als erstes wurde das links neben dem Turm stehende Haus von den Bürgern der Altstadt gekauft und zum Rathaus erklärt. Später wurden drei weitere Häuser in dieser Reihe erworben. Das mit Sgraffiti verzierte Renaissance-Eckhaus **Zur Minute** gehört nicht mehr dazu. Der Turm entstand 1364, später wurde er durch eine Erkerkapelle ergänzt. Die am Turm angebrachte **Astronomische Uhr** ist in ihrer ersten Form um 1410 entstanden. Sie besteht aus drei Teilen. In der Mitte ist das eigentliche Uhrwerk, das gleichzeitig im Tierkreis die Bewegung von

Unten: Der Pulverturm. Rechts: Die berühmte Prager Aposteluhr am Altstädter Rathaus.

Sonne und Mond anzeigt. Die Darstellung entspricht der damaligen geozentrischen Weltvorstellung. Das Kalendarium darunter ist versehen mit Zeichen des Tierkreises und Szenen aus dem Landleben, Symbolen der zwölf Monate. Die künstlerische Gestaltung des Kalendariums stammt von dem tschechischen Maler Josef Mánes.

Eine Attraktion ist der obere Teil. Tagsüber spielt sich zu jeder vollen Stunde die gleiche Szene ab: Der Tod läutet das Totenglöckchen und dreht eine Sanduhr um. In den kleinen Fenstern ziehen die Apostel vorbei, ein Hahn mit flatternden Flügeln kräht. Dann schlägt die volle Stunde. Rechts neben dem Tod wackelt ein Türke mit dem Kopf und deutet damit an, daß die Gefahr der türkischen Invasion noch nicht vorüber ist. Die zwei linken Gestalten sind Allegorien der Habsucht und der Eitelkeit.

Zu jeder vollen Stunde gibt es auch eine Führung durch die historischen Räume des Rathauses und dessen Ausstellungsräume.

Die am Rathausturm angebrachten Gedenktafeln rufen einige wichtige Ereignisse der Stadt in Erinnerung, die mit der Geschichte des Platzes verbunden sind: die Hinrichtung des radikalen Hussitenpredigers **Jan Želivský** (1422), der durch den I. Prager Fenstersturz in die Geschichte eingegangen ist; die Exekution der „27 böhmischen Herren" (1621), eine exemplarische Bestrafung der Anführer des Aufstandes von 1618; die Befreiung Prags durch die Rote Armee am 9. Mai 1945.

Seitenwege: An dem Haus **Zur Minute** vorbei kommt man zum **Kleinen Ring** (*Malé náměsti*). Hier steht ein Brunnen mit einem bemerkenswerten Renaissancegitter. Neben ein paar Hauszeichen fällt die reich mit Ornamenten und figuralen Motiven bemalte Fassade einer traditionsreichen Eisenwarenhandlung auf. Die Innenräume des Geschäftes haben die Atmosphäre eines Prager Kaufladens bewahrt. Obwohl der Kleine Ring nur wenige Schritte von dem großen Nachbarplatz

Im Sommer sitzen die Prager gern im Freien.

entfernt ist, hat er eine andere Ausstrahlung. Man fühlt sich schon von der verwinkelten Altstadt umgeben.

Um diesen Stimmungswechsel auszukosten, sollte man kurz in die umliegenden kleinen Straßen eintauchen. Zum Beispiel in die *Karlova ul.*, die einen Knick nach links macht, und dann geradeaus in die *Jilská ul.* Bald kommt auf der linken Seite das Haus Nr. 18, das früher den Namen **Zu zwei Hirschen mit einem Kopf** trug. Einem unscheinbaren Torbogen folgt ein Durchgang (das sogenannte „Eisentor") zur *Michalská ul.* Ihm schließt sich ein weiterer Durchgang durch einen Palasthof mit Renaissance-Arkaden an. Es gibt aber auch eine andere Durchgangsmöglichkeit zur linken Hand, die über einen Klosterhof mit der **St.-Michaels-Kirche** führt, in der schon Jan Hus predigte. Beide Wege treffen sich wieder in der *Melantrichova ul.* vor der Mündung der *Kožná ul.* Das erste linke Haus **Zu zwei goldenen Bären** ist ein schönes Beispiel der Renaissance-Ar-

chitektur. In ihm lebte der „rasende Reporter" Egon Erwin Kisch. Die *Kožná ul.* führt uns aus dem Labyrinth zum Altstädter Ring zurück.

Zeltnergasse und Pulverturm: Nach den mittelalterlichen Semmelbäckern, den Zalten (calty), wurde die **Zeltnergasse** *(Celetná ul.)* benannt. Sie ist eine der ältesten Straßen in ganz Prag, denn in ihrem Verlauf verließ der Handelsweg nach Osten die Altstädter Marktplätze zur Stadt hinaus.

Nach einer großangelegten Restaurierung, die in den letzten Jahren durchgeführt wurde, erstrahlen die meist barocken Fassaden dieser Vorzeigstraße in neuem Glanz. Aus architektonischer Sicht verdient besondere Beachtung das spätbarocke **Palais Hrzán** (Nr. 12). In der Nachbarschaft befindet sich die Weinstube **Zum goldenen Hirsch** (*U zlatého jelena*), die in den ursprünglichen Räumen eines der ältesten Steinhäuser Prags errichtet wurde. Eine architektonische Seltenheit ganz anderer Art ist das kubistische Haus **Zur**

schwarzen Mutter Gottes (Nr. 34), entworfen von J.Gočár (1911-12). Es gibt nämlich in ganz Europa nur wenige Bauten, die diesen Stil dokumentieren.

Am Ende der Zeltnergasse steht der spätgotische **Pulverturm** *(Prašná brána)*. Er wurde in der zweiten Hälfte des 15. Jahrhunderts als ein repräsentatives Stadttor errichtet, wobei er ein älteres, vorher an dieser Stelle stehendes Tor ersetzte. Seine besondere Bedeutung unter den 13 Toren der Altstädter Befestigung hängt damit zusammen, daß sich in seiner unmittelbaren Nachbarschaft der (nicht mehr vorhandene) Königshof befand, im 15. Jahrhundert königliche Residenz. Nachdem der Amtssitz zurück auf die Burg verlegt worden war, verlor der Turm seine Sonderstellung. Als Schießpulverlager erhielt er später seinen Namen. Sein neugotisches Dach und den Wehrgang bekam er während eines Umbaus im 19. Jahrhundert. Der Turm ist von April bis Oktober mittwochs und an den Wochenenden zugänglich.

An der Stelle des erwähnten Königshofes entstand in den Jahren 1906-11 das **Repräsentationshaus** *(Obecní dům)*. Dieser herrliche Jugendstilbau verdankt seine Entstehung dem politisch und wirtschaftlich gestärkten Nationalgefühl der tschechischen Bourgeoisie um die Jahrhundertwende. Eine ganze Generation tschechischer Künstler wurde hier verpflichtet. Folgerichtig wurde auch in diesem Gebäude nach dem Ersten Weltkrieg im Jahre 1918 die tschechoslowakische Republik ausgerufen. Das sich im Originalzustand befindende Interieur kann man in dem Restaurant und dem Café des Hauses besichtigen. Außerdem befinden sich dort verschiedene Gesellschaftsräume und der **Smetana-Saal,** ein berühmter Konzertsaal.

Ein weiteres Beispiel für die Prager Jugendstil-Architektur, den Sezessionsstil) ist das **Hotel Paris** neben dem Repräsentationshaus von 1906.

Wenn man sich den kleinen Gassen hinter diesen beiden Gebäuden anver-

Die Türme der Teynkirche.

traut, kommt man bald zu der **St.-Jakobs-Kirche** *(Kostel sv. Jakuba)* in der *Malá Štupartská ul.* Sie ist auch von der Zeltnergasse aus zu erreichen, und zwar durch zwei Durchgänge in den Häusern Nr. 17 und Nr. 25. Wie so viele Kirchen in Prag wurde auch die St.-Jakobs-Kirche (gegr. 1232) mehrmals umgebaut, bis sie ihre heutige barocke Gestalt annahm. Beachtenswert sind die Reliefs am Hauptportal, die Deckenfresken und das Hauptaltargemälde von V. V. Reiner. Künstlerisch besonders wertvoll ist das Grabmal des Grafen Vratislav von Mitrovic, ein Werk von J. B. Fischer von Erlach und F. M. Brokoff. Wegen der hervorragenden Akustik finden in der Kirche regelmäßig Orgelkonzerte statt.

Der schönste Blick auf die Melantrichova bietet sich vom Altstädter Rathaus.

An die Nordseite der Kirche schließt sich der Kreuzgang des ehemaligen Minoritenklosters an. Aus den ehemaligen Mönchszellen im oberen Stockwerk erklingen Instrumente aller Art, denn in dem Kloster ist jetzt eine Musikschule untergebracht.

Zwischen der Jakobskirche und der Teynkirche liegt der **Teynhof** *(Týn* oder *Ungelt* genannt). Es ist ein stimmungsvoller, abgeschlossener Platz, der ursprünglich fremden Kaufleuten Schutz bot. Der ganze Komplex, dessen Ursprünge in das 11. Jahrhundert reichen, befindet sich zur Zeit im Umbau. Um zum Altstädter Ring zurückzukehren, kann man die *Týnská ul.* benutzen, die um den Teynhof herum zum Nordportal der Teynkirche führt. Die verdeckte Mündung der Straße, die Teynhof-Toreinfahrt und das Kirchenportal mit einem prachtvollen Tympanon aus P. Parlers Bauhütte bilden eine der malerischsten Ecken der Altstadt.

Durch die Pařížská: Die großzügig angelegte **Pariser Straße** *(Pařížská třída),* die den Altstädter Ring bei der St.-Nikolaus-Kirche verläßt, führt zu den Sehenswürdigkeiten der **Josefsstadt** *(Josefov).* Mit der Besichtigung dieser jüdischen Stadt sollte man auch den Besuch des etwas abseits liegenden **Agnesklosters** *(Anežský klášter)* in der *Anežská ul.* verbinden. Es ist das erste frühgotische Bauwerk Prags (gegr. 1234). Der ganze Komplex, der zwei Klöster und mehrere Kirchen einschloß, verfiel im Laufe der Zeit, und ganze Teile wurden völlig zerstört. Nach jahrelanger, mühevoller Arbeit gelang es, einige Räume wiederherzustellen. Durch einfühlsame Ergänzungen wurden die historischen Teile zu dem heutigen Areal zusammengefügt. Es beherbergt eine Ausstellung des Kunstgewerbemuseums (Kunsthandwerk des 19. Jahrhunderts) und eine Sammlung der Nationalgalerie (tschechische Malerei des 19. Jahrhunderts).

Wenn man die Josefsstadt über die Straße *Ul. 17. listopadu* verläßt, kommt man nach einigen Schritten am **Kunstgewerbemuseum** *(Uměleckoprůmyslové muzeum)* vorbei, das eine öffentliche Fachbibliothek besitzt und eine umfangreiche Ausstellung mit Objekten vieler Handwerkszweige zeigt.

Schräg gegenüber dem Museum steht das **Künstlerhaus** *(Dům umělcu* oder *Rudolfinum),* ein repräsentatives

Neorenaissancegebäude, das seine Stirnseite dem Platz – *nám. Krasnoarmějců* – bietet. Es ist der Sitz der Tschechischen Philharmonie und besitzt einen prächtigen Konzertsaal. Von 1919 bis 1939 diente es als Parlament.

Es empfiehlt sich nun, den Platz zu überqueren und vom Moldauufer die Aussicht auf die Karlsbrücke, die Kleinseite und die Burg zu genießen. Wenn man weiter der Uferstraße stromaufwärts und anschließend der *Křižovnická ul.* folgt, gelangt man, an der mächtigen, etwas düsteren Fassade des **Klementinums** vorbei, zum **Kreuzherrenplatz** *(Křižovnické nám.)* mit einem Denkmal Karls IV.

Bereits auf dem ersten Brückenpfeiler der **Karlsbrücke** steht der **Altstädter Brückenturm,** der ebenso wie die Brücke von P. Parler erbaut wurde. Auch die wertvollen Plastiken, die den Turm schmücken, stammen aus der Werkstatt dieses großen Meisters.

Die barocke **Kreuzherrenkirche** *(Kostel sv. Františka Serafinského)* auf

der Uferseite des Platzes ist dem hl. Franziskus Seraphicus geweiht. Sie gehörte früher zum Kloster des „Kreuzherrenordens mit dem roten Stern", dem einzigen böhmischen Orden zur Zeit der Kreuzzüge. Die prachtvolle Kirchenkuppel schmückt das Fresko *Jüngstes Gericht* von V. V. Reiner.

Die in den Fluß hineingebauten Häuser waren ursprünglich die Altstädter Mühlen. In dem letzten Haus mit Sgraffitoschmuck, einem ehemaligen Wasserwerk, befindet sich heute das **Smetana-Museum** *(Muzeum Bedřich Smetany).*

Gegenüber dem Brückenturm erhebt sich die barocke Fassade der **St.-Salvator-Kirche** *(Kostel sv. Salvátora),* die in das Jesuitenkolleg **Klementinum** eingegliedert ist. Dieser weitläufige Komplex wurde von den Jesuiten gegründet, die 1556 nach Prag berufen worden waren, um die Rekatholisierung des Landes zu unterstützen. Heute befindet sich hier die Staatsbibliothek der ČSSR.

Die Karlsgasse: Die schmale und winklige **Karlsgasse** *(Karlova ul.)* bildete schon immer die Verbindung zwischen der Karlsbrücke und dem Altstädter Ring. Im Haus Nr. 4 wohnte zeitweilig der Astronom Johannes Kepler, der während seines Prager Aufenthaltes die ersten Gesetze über die Bewegung der Planeten um die Sonne formulierte. Ein Stück weiter, im Haus Nr. 18 **Zur goldenen Schlange,** eröffnete 1714 der Armenier Gorgos Hatalah Damashki das erste Prager Kaffeehaus.

Wenn man die Karlsgasse verläßt, indem man der Außenmauer des Klementinums folgt, sind es nur wenige Schritte zum *Nám. primátora dr. V. Vacka.* Das Jugendstilgebäude auf diesem Platz ist das **Neue Rathaus** mit dem Sitz des Prager Bürgermeisters. An der Ecke der *Husova ul.* breitet sich das **Palais Clam-Gallas** *(Clam-Gallasuv palác)* aus, ein prachtvoller Barockbau, entworfen von dem Wiener Hofarchitekten J.B.Fischer von Erlach. Der Portalschmuck stammt von Matthias

Links: Freundliche junge Männer in Uniform. Rechts: Alle warten sie gespannt, bis der Hahn kräht.

B.Braun. Gegenüber dem Palais liegt die **Städtische Bibliothek** mit einer Abteilung der **Nationalgalerie** mit Werken der tschechischen Kunst des 20. Jahrhunderts.

Südlich der *Karlova ul.* breitet sich ein Netz von kleinen Straßen aus, die zum Schlendern einladen. Im folgenden sei auf einige Sehenswürdigkeiten hingewiesen.

Die Richtung gibt zunächst die *Husova ul.* an. Auf der rechten Seite fällt eine im Stil der venezianischen Renaissance errichtete Fassade auf. In dem Haus (Nr. 19) ist die **Mittelböhmische Galerie** untergebracht, die Ausstellungen der regionalen Kunst veranstaltet. Ein Stück weiter links steht die **St.-Ägidius-Kirche** *(Kostel sv. Jiljí).* Wenn man um die Kirche herumgeht, nimmt man am besten ihre klare, äußere gotische Gestalt wahr, die im krassen Gegensatz zu dem barock überladenen Innenraum steht. Der Innenhof des links angrenzenden Klosters atmet eine abgeschiedene Atmosphäre der Ruhe.

In der rechten Querstraße *Řetězová ul.* ist das Haus Nr. 3 *Dům pánu z Kunštátů* zu nennen. In seinen Kellerräumen ist das ganze Erdgeschoß eines romanischen Palastes erhalten geblieben. Diese Räume sind öffentlich zugänglich und dienen als Ausstellungsraum des „Prager Zentrums für Denkmalpflege". In derselben Richtung liegt der kleine Platz *Anenské nám.,* der einen intimen Charakter besitzt.

Ein bedeutendes Denkmal der hussitischen Vergangenheit ist die **Bethlehemskapelle** *(Betlémská kaple)* auf dem gleichnamigen Platz *(Betlémské nám.).* Der heutige Bau ist eine originalgetreue Rekonstruktion der im Jahre 1391 gegründeten Kapelle, in der die Messe auf tschechisch gelesen wurde. Der schlichte Raum, dessen Mittelpunkt anstelle des Altars die Kanzel war, faßte 3000 Menschen. Hier wirkte am Anfang des 15. Jahrhunderts der berühmte Reformator Jan Hus, dessen Gedanken sich von dieser Stelle aus über das ganze Land ausbreiteten.

Weihnachtsbaum am Altstädter Ring.

1521 predigte in dieser Kapelle auch der revolutionäre deutsche Bauernführer Thomas Münzer.

In einem malerischen Hof auf der Westseite des Platzes befindet sich das **Ethnologische Museum** *(Náprstkovo muzeum)* mit einer Ausstellung von Zeugnissen asiatischer, afrikanischer und amerikanischer Kulturen.

Etwas abseits, an der Ecke der Straßen *Ul.Karolíny Světlé* und *Konviktská ul.*, liegt die **Rotunde des hl. Kreuzes** *(Rotunda sv. Kříže)*, eine romanische Rundkirche vom Anfang des 12. Jahrhunderts.

Ein bizarrer Kirchenbau erwartet uns in der *Martinská ul.* Es ist die ursprünglich romanische, später gotisch umgebaute Kirche **St. Martin in der Mauer** *(Kostel sv. Martina ve zdi)*, die in die Stadtmauer einbezogen wurde. Hier wurde 1414 das Abendmahl zum erstenmal „unter beiderlei Gestalt" gereicht (d.h. Brot und Wein zugleich). Ab Ende des 18. Jahrhunderts diente die Kirche als Mietshaus.

„Jeder Böhme ist ein Musikant."

Unser Rundgang durch die Altstadt endet wieder in der Nähe des Altstädter Rings. Die *Martinská ul.* mündet in den **Kohlenmarkt** *(Uhelný trh)*, dem einige alte Marktstraßen folgen. Sehenswert ist die malerische Gasse *V kotcích*, in der die Zeit stehengeblieben zu sein scheint. Zwischen **Obstmarkt** *(Ovocný trh)* und *Železna ul.* liegt das **Tyl-Theater.** Als Nostitzsches Theater 1783 eröffnet, ist es der älteste Theaterbau Prags. 1787 fand hier die Premiere des *Don Giovanni* von Wolfgang Amadeus Mozart statt. Das Theater spielte eine große Rolle im kulturellen Leben der Stadt. Links neben ihm befindet sich das **Karolinum,** ein historisches Gebäude der Karls-Universität. Der herrliche Prunkerker an der Außenwand ist noch ein Überrest des ursprünglichen gotischen Hauses aus dem 14. Jahrhundert. In der großen Aula des Karolinums finden die großen festlichen Veranstaltungen der Universität statt, wie zum Beispiel die Feiern zur Verleihung der Doktorwürde.

Der Anfang des dreisigjährigen Krieges.

Prager Fensterstürze

10. März 1948 am frühen Morgen. Der Heizer des Czerninpalastes, Karel Maxbaucr, findet seinen Hausherrn, den Außenminister der Tschechoslowakischen Republik, Jan Masaryk, 63, tot im Hof auf. Masaryk, Sohn des Gründers der Tschechoslowakischen Republik Tomáš Masaryk, war nach dem „kalten" Februarputsch 1948 das einzige nichtkommunistische Kabinettsmitglied. Einen Monat zuvor waren zwölf nichtkommunistische Minister des Koalitionskabinetts des KP-Premiers Klement Gottwald zurückgetreten. Unter dem Druck von KP-Milizen und der Drohung, daß sowjetische Truppen einmarschieren würden, berief Staatspräsident Beneš ein kommunistisches Kabinett. Einzige Ausnahme: Jan Masaryk. War der Sturz aus dem 15 Meter hohen Badfenster ein Selbstmord?

23. Mai 1618. Aufgebrachte protestantische Prager Bürger stürzen drei katholische kaiserliche Räte aus dem Fenster des Hradschin in den Burggraben. Die Konfrontation zwischen Katholiken und Protestanten mündet in den Dreißigjährigen Krieg. Zunächst hatte Ferdinand II. zur Festigung seiner Macht in Böhmen die Glaubensfreiheit und den freien Bau von Kirchen, die durch den „Majestätsbrief" Rudolfs II. garantiert waren, bestätigt. Aber schon bald zeigt sich Ferdinand II. als Verfechter der Gegenreformation. Sein hartes und unerbittliches Vorgehen führt zu offenen Auseinandersetzungen. Protestantische Kirchen werden in Böhmen geschlossen, teilweise sogar abgerissen. Der „Fenstersturz" der wütenden Prager Stände hat weitreichende Folgen. Die Mönche des Klosters Strahov und der Erzbischof werden des Landes verwiesen, Ferdinand II. von den böhmischen Ständen 1619 für abgesetzt erklärt. Das ständische Heer, auf ausländische Unterstützung angewiesen, unterliegt 1620 unter der Führung Friedrichs V. von der Pfalz dem kaiserlichen Heer in der Schlacht am Weißen Berg bei Prag. Die Macht der Habsburger und der katholischen Kirche ist wiederhergestellt. Im darauffolgenden Prager Blutgericht werden auf dem Altstädter Ring 22 tschechische und fünf deutsche Adlige öffentlich gefoltert und hingerichtet.

30. Juli 1419. Aus einem Fenster des Neustädter Rathauses wird auf einen bewaffneten Umzug der Hussiten ein Stein geworfen. Es kommt zu der unweigerlichen

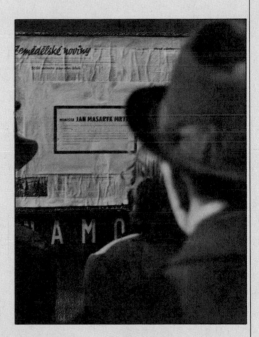

und seit langem schwelenden Konfrontation. Hussiten stürmen das Rathaus und stürzen drei Konsuln und sieben Bürger zum Fenster hinaus. Die Hussitenkriege haben ihren Anfang genommen. 1369 in Husinec in Böhmen geboren, seit 1400 Priester, wird Jan Hus 1402 Rektor der Karls-Universität. In flammenden Reden kämpft er gegen die Verweltlichung der katholischen Kirche, Unmoral und Sittenverfall des Klerus und für eine tschechische nationale Bewegung.

Links: Darstellung des Fenstersturzes vom 23. Mai 1618. Oben: Jan Masaryk ist tot.

NOVÉ MĚSTO – DIE NEUSTADT

In der Prager Neustadt Nové Město befinden sich bei weitem nicht so viele und interessante Sehenswürdigkeiten wie in den anderen besprochenen Stadtteilen. Trotzdem sollte man nicht versäumen, auch wenn man damit weitere Strecken zu Fuß gehen muß, einmal hier durchzuschlendern.

Die Geschäfte sind noch nicht vom Tourismus geprägt, und der Zustand der meisten Häuser zeigt, daß es außer dem Altstädter Ring noch einiges zu renovieren gibt.

Rund um den Wenzelsplatz: Martialisch thront über dem riesigen alten Roßmarkt die Reiterstatue des hl. Wenzel, nach dreißigjähriger Planung und Entwürfen von Josef Myslbek 1912 aufgestellt. In seinem und in Johannes Hus' Schatten versammeln sich die Prager am Altstädter Ring, wann immer es nötig ist. Massenkundgebungen und Demonstrationen nahmen von hier ihren Ausgang – 1918 und 1939 ebenso wie knapp 50 Jahre später. Die Bilder des Platzes aus dem „Prager Frühling" gingen damals um die Welt.

Die Ausmaße des Wenzelsplatzes (Václavské nám.) sind gewaltig. Mit 60 Meter Breite und 680 Meter Länge erreicht er eine Größe, die seiner damaligen Zeit mehr als voraus war. Das Bild des Wenzelsplatzes ist heute geprägt von zahlreichen Hotels, Vergnügungsstätten, Banken und Kaufhäusern. Es ist ein riesiger Boulevard, über den sich in der arbeitsfreien Zeit die Hälfte der Prager Bevölkerung zu bewegen scheint. Was es hier nicht gibt, wird man auch sonst nirgendwo in der Tschechoslowakei finden.

Die alten zweistöckigen Barockhäuser um den Platz sind verschwunden. Heute sind es sechs-, siebenstöckige Häuser – die wenigsten, wie das Hotel Evropa, noch mit ihren Jugendstilfassaden. Hinter dem so geschichtsträchtigen Standbild des heiligen Wenzel schließt sich der Platz mit dem Natio-nalmuseum (Národní muzeum). Als Nachfolger des Nationaltheaters in der Národni tř. wurde es 1885-1890 von dem Prager Architekten Josef Schulz erbaut. Obgleich Assistent Ziteks, dem Erbauer des Nationaltheaters, konnte er diesem mit seiner Kopie nicht ganz das Wasser reichen. Etwas unglücklich und plump wirkt der Bau, der die geistige Mitte der tschechischen Nation verkörpern sollte; unter der auch von außen sichtbaren Kuppel befindet sich das Pantheon mit vier Monumentalgemälden aus der böhmischen Geschichte.

Daneben steht an der Stelle der alten Produktenbörse ein Glasbau, das Neue Parlamentsgebäude. Fast im Schatten des großen Parlamentsgebäudes gelegen, steht in der Vitěznétho února 8 das **Smetana-Theater**. 1888 als Nachfolger des dortigen hölzernen „Neustädter Sommertheaters" errichtet, war das ehemalige „Neue Deutsche Theater" die zweite große deutschsprachige Bühne in Prag und deswegen nicht immer unproblematisch.

Vorherige Seiten: Blick vom Nationalmuseum über den Wenzelsplatz. Unten: Reiterstatue des Heiligen Wenzel.

Geht man den Wenzelsplatz abwärts, so beginnt etwa auf der Höhe der Straßen Jindřišská und Vodičkova die Prager Einkaufszone. Rund um die Metrostation Můstek, in der Fußgängerzone Na příkopě und der 28. října, finden sich die meisten noblen Geschäfte, Kaufhäuser und Buchläden.

Národní tř. und Na příkopě: An seinem unteren Ende zweigen zwei als Fußgängerzonen ausgebaute Straßen ab. Der Name der Metrostation Můstek erinnert noch daran, daß hier einmal eine Brücke stand, über welche früher die Altstadt zu erreichen war. Reste dieser Brücke sind im U-Bahnhof noch zu sehen.

Entlang den ehemaligen Stadtgräben verläuft heute als Fußgängerzone in Richtung Pulverturm die Na příkopě (Am Graben). Hier sollte man nicht nur in die weniger interessanten Auslagen von Geschäften wie Bohemia-Moser (ältestes Prager Geschäft für Glaswaren) oder der Boutique Moda gucken. Interessant sind nämlich die Nummer

12, das 1670 errichtete und 1748 umgebaute Palais Sylva-Tarouca, oder die Nummer 222, das aus dem 18. Jahrhundert stammende heutige Slawische Haus, ehemals das Palais Přichovský, dann das Deutsche Haus. Direkt gegenüber steht das „Rep", das Repräsentantenhaus im Sezessionsstil. Schön ist auch der Durchgang von Na příkopě 11 beim Kaffeehaus Savarin zum Wenzelsplatz. Von der Na příkopě biegt auch die Panská ul. ab, in der man die Zimmervermittlung von Čedok finden kann.

Auf der anderen Seite führt die 28. října zum *Jungmanovo náměstí* mit dem Denkmal des tschechischen Sprachforschers Josef Jungmann (1773-1847). Hier kommt man am Informationsbüro des Bürgerforums *of* vorbei, das über die wichtigsten politischen Ereignisse aktuelle Informationen bereithält. Sehr viele Pragbesucher gehen hier achtlos an der Pforte des Franziskaner-Pfarrhauses vorbei und übersehen die als Monumentalbau

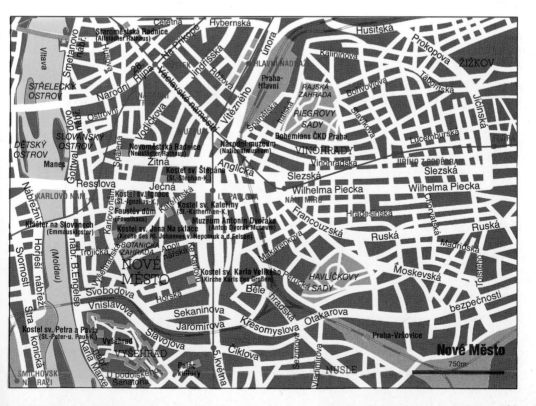

geplante **Kirche Maria Schnee** *(Kostel Panny Marie Sněžné)*. Was man von der 1347 von Karl IV. als Krönungskathedrale gestifteten Kirche sehen kann, ist lediglich das Chorgebäude. Geplant war damals als Gegenstück zum Veitsdom eine dreischiffige gotische Kathedrale, die einmal der höchste kirchliche Bau in Prag sein sollte. Geldknappheit und der Beginn der Hussitenkriege sorgten jedoch dafür, daß das Bauvorhaben nie vollendet wurde. In der dadurch in ihren Proportionen etwas seltsam anmutenden Kirche sind es der Altar aus dem 16. Jahrhundert und das Taufbecken aus dem Jahre 1459, die besondere Aufmerksamkeit verdienen. Einen guten Blick auf die Kirche hat man von der kleinen Parkanlage hinter dem *Dům sportu,* die zur Alfa-Passage und so zum Wenzelsplatz führt.

Vom *Jungmanovo nám.* führt die *Národní třída,* die **Nationalstraße,** zur Moldau und zur Brücke des 1. Mai. Der Blick wird durch die Glasfassade der Neuen Bühne *(Nová scéna)* und das **Nationaltheater** *(Národní divadlo)* geprägt. Bevor man aber das Nationaltheater erreicht, kommt man vor der Neuen Bühne am **Ursulinenkloster** (1674-78) und der **Ursulinenkirche** vorbei; vor der Kirche, die z. Zt. restauriert wird, steht eine Figurengruppe mit dem hl. Johannes von Nepomuk und Putten von Ignaz Platzer aus den Jahren 1746-47. Im ehemaligen Klostergebäude befindet sich heute eine ausgezeichnete Weinstube.

Das Nationaltheater: Das *Národní divadlo* ist das Symbol der tschechischen Nation. 1845 wurde in der mit deutscher Mehrheit besetzten Ständeversammlung der Antrag eines tschechischen Theaterprivilegs abgelehnt. Es wurde Geld gesammelt und die Errichtung eines eigenen tschechischen Theaters zur nationalen Aufgabe erklärt. 1852 konnte der Bauplatz gekauft werden, und 1868 erfolgte die Grundsteinlegung. Am 15. Juni 1881 wurde das an die italienische Spätrenaissance erin-

Im Glas der Neuen Bühne spiegelt sich das Nationaltheater.

nernde Bauwerk, das nach den Plänen von Josef Zítek erstellt wurde, mit Smetanas *Libuše* eröffnet. Die an der Planung und Fertigstellung beteiligten Künstler gingen als „Generation des Nationaltheaters" in die tschechoslowakische Kunstgeschichte ein.

Neben dem Architekten Josef Zítek sind es vor allem Josef Myslbek (Plastiken über dem Portal), Antonín Wagner (Standbilder tschechischer Sagengestalten in der Loggia, Figurengruppen auf der Moldauseite der Attika), František Zeníšek (Deckengemälde im Zuschauerraum), Mikoláš Aleš (Bilder im Foyer des 1. Ranges) und Bohuslav Schnirch (Dreigespanne).

Im August 1881, nur zwei Monate nach der Eröffnung, brannte das Nationaltheater aus. Unter der Leitung von Josef Schulz wurde es wieder aufgebaut und 1883 neueröffnet.

Gegenüber dem Nationaltheater befindet sich im ehemaligen **Palais Lažanský** eines der letzten großen Prager Kaffeehäuser, das **Slavia.**

Am Weg zum Karlsplatz: Blickt man von der Brücke des 1. Mai, die als zweitälteste Brücke in Prag des öfteren ihren Namen ändern mußte, moldauaufwärts, so fällt der Blick auf die **Slawische Insel** *(Slovanský ostrov),* mit dem Sophiensaal und dem Café Mánes. An ihrem oberen Ende, an der Jiráskův-Brücke, endet die *Resslova,* in der die orthodoxe **St.-Cyrill-und-Method-Kirche** *(Kostel sv. Cyrila a Metoděje)* liegt. Zwischen der **Jiráskův-** und **Palackého-**Brücke sind auch die Anlegestellen für die Moldaudampfer. Durch die ehemalige Sakristei betritt man heute die meistens geschlossene Kirche. Nach dem Anschlag vom 17. Mai 1942 auf den „Stellvertretenden Reichsprotektor" Reinhard Heydrich verschanzten sich in der Krypta drei der Attentäter sowie vier weitere Widerstandskämpfer. Das Versteck flog am 18. Juni auf und wurde nach erbittertem Kampf von der SS ausgehoben. Mit Fotos und einer Reihe von Dokumenten ausgestattet, dient die Krypta heute als Gedenkstätte.

Links: Das Nationaltheater und die Neue Bühne. Rechts: Im Kaufhaus MAJ.

Als Vergeltungsmaßnahme für das Attentat wurde der Ort Lidice bei Prag auf Befehl von Heydrichs Nachfolger Karl Hermann Frank am 10. Juni 1942 niedergebrannt; die 199 Männer des Ortes wurden erschossen, die Frauen und Kinder deportiert.

Biegt man von der *Resslova* in die *Na Zderaze* und dann in die *Na zbořenci* ein, stößt man direkt auf die *Křemencova*, in der sich eine der berühmtesten Prager Bierkneipen befindet, das **U Fleků,** eine Brauerei-Gaststätte mit dunklem Spezialbier.

Das **U Fleků** ist, gemeinsam mit dem **Kelch,** die wohl am meisten von Touristen besuchte Prager Bierkneipe. Jeder Raum trägt zwei verschiedene Namen, so heißen sie z. B. nicht nur **Velky sál,** Großer Saal, sondern auch **Jitrnice,** was soviel wie Leberwurst bedeutet. Beliebt ist im Sommer natürlich der schöne, schattige Biergarten, in dem abends eine Blaskapelle für Stimmung sorgt. Das alt-tschechische Kabarett, das jeden Abend im U Fleků auftritt, ist einer der letzten Vertreter des Prager Kabaretts.

Der Karlsplatz: Der Weg durch die Prager Neustadt führt von der *Resslova* weiter zum *Karlovo náměstí*, dem **Karlsplatz.** Ebenfalls während der Gründung der Neustadt durch Karl IV. 1348 angelegt, war er der größte Markt der Stadt und hieß bis 1848 „Viehmarkt". Sein heutiges Aussehen verdankt er einer Umgestaltung aus dem 19. Jahrhundert. Die Denkmäler im Park stellen tschechoslowakische Wissenschaftler und Literaten dar.

Interessanter als der Platz ist das **Neustädter Rathaus** *(Novoměstská radnice)* am nördlichen Ende des Platzes. In mehreren Bauphasen wurde es nach der Gründung der Neustadt zwischen 1348 und 1418 errichtet. 1520 erfolgte der Umbau des Südflügels, 1722 die Umgestaltung des Turms. Sein heutiges Aussehen entstammt der Rekonstruktion (1906) des Gebäudes in sein ursprüngliches Aussehen von 1526. Hier fand der erste Prager Fen-

In Prag nicht unumstritten – das Kaufhaus MAJ.

sterssturz statt, der die 15 Jahre andauernden Hussitenkriege auslöste.

In der Mitte des Karlsplatzes liegt an der östlichen Seite die **St.-Ignatius-Kirche** *(Kostel sv. Ignáce)*. Hier errichteten die Jesuiten 1659 nach dem Klementinum ihr zweites Collegium. Seit der Aufhebung des Kollegs 1770 dient der weitläufige Komplex als Krankenhaus. Die Kirche, 1665-70 von Carlo Lurago erbaut, wurde 1679-99 durch Entwürfe von Paul Ignaz Bayer um eine Säulen- und eine Arkadenvorhalle erweitert. Im Inneren findet sich u. a. ein Altarblatt *Christus im Kerker* von Karel Škréta (1610-1674).

Ein Gang durch die Prager Neustadt Nové Město ist bei weitem nicht so abwechslungsreich wie durch die Kleinseite oder die Altstadt. Wer sich hier interessante Baudenkmäler und Sehenswürdigkeiten anschauen will, braucht gutes Schuhwerk. Die Fassaden der Neustädter Mietshäuser sind nicht unbedingt berauschend. Zu dick liegt der seit Jahrzehnten auf die Stadt

fallende Ruß auf den Mauern, und so wirkt alles etwas heruntergekommen. Aufwendige Restaurationen wie z. B. in der Karlsgasse sind hier nicht in Sicht. So bietet auch die heutige Apotheke der Poliklinik, die als **Fausthaus** *(Faustuv dům)* bekannt wurde, einen traurigen Anblick. In dem ursprünglichen Renaissancehaus am unteren Ende des Karlsplatzes führten die Alchimisten Eduard Kelly und Ferdinand Antonin Mladota ihre Experimente durch. Letzterer unterhielt seine Gäste mit einer Reihe von Zauberkunststücken und einer Laterna magica. Grund genug für das in solchen Dingen empfängliche Prag, dem kleinen Haus einen besonderen Namen zu geben. Und Kelly, nicht wesentlich besser als Mladota, sollte für Rudolf II. den Stein der Weisen finden, was ihm aber nicht gelang. Rudolf ließ den Engländer, dem in seiner Heimat schon wegen Betrügereien die Ohren abgeschnitten worden waren, in den Kerker werfen – dessen Suche nach dem Stein hatte ihm wohl zu lange gedauert. Dort starb er nach zwei Fluchtversuchen an Gift.

Weniger sagenumwoben ist die Kirche des **hl. Nepomuk auf dem Felsen** *(Kostel sv. Jana Na skalce)* in der *Vyšehradská,* gleich um die Ecke. Es ist schade, daß diese sehr schöne Barockkirche (erbaut 1730-39 von Kilian Ignaz Dientzenhofer) nur schwer zugänglich ist. Wie viele Kirchen in Prag ist sie die meiste Zeit geschlossen. Ein ähnlich trauriges Kapitel ist das gegenüberliegende ehemalige **Emmaus-Kloster** *(Klášter Na Slovanech).* Das Kloster, zurückgehend auf eine Stiftung Karls IV. von 1347, wurde 1945 durch einen Bombenangriff zerstört. Anstelle der beiden Türme wurden der Kirche 1967 zwei segelförmige Pfeiler angehängt, die wohl zu den wenigen eigenwilligen architektonischen Werken der Moderne in Prag gezählt werden können. Leider ist das Ganze eher Blendwerk. Die Betonelemente František Černýs bedecken nämlich eine traurige Ruine. Im Kreuzgang gleich daneben kann man gotische

Fresken aus dem 14. Jahrhundert bewundern. Das Emmaus-Kloster war als mittelalterliche Schreibstube für slawische Handschriften berühmt. Heute ist darin ein wissenschaftliches Institut untergebracht, die Fresken können also nur während der Amtsstunden besichtigt werden.

Nur ein paar Schritte vom Emmaus-Kloster liegt der **Botanische Garten** mit seinem schönen, allerdings renovierungsbedürftigen Gewächshaus.

Am Rande der Neustadt: Folgt man weiter der *Vyšehradská*, die sich ab dem Botanischen Garten in die *Na slupi* verwandelt, kommt man zu einer weiteren bedeutenden, meist aber geschlossenen Kirche, *Maria Na slupi*. Die ehemalige Klosterkirche der Elisabethinerinnen ist ebenfalls ein Werk Ignaz Kilian Dientzenhofers und das seltene Beispiel einer gotischen Kirche, die von einer Mittelsäule getragen wird.

Steigt man die Stufen der *Albertov* empor, kommt man an einen weiteren sehenswerten Bau, den **Karlshof** (*Ko-stel sv. Karla Velikého*). Umgeben von einer Reihe von Universitätsgebäuden, betritt man das ehemalige Augustinerkloster durch ein einfaches Tor. Das Interesse wird aber zunächst durch die Wache stehenden Soldaten im Nebengebäude abgelenkt. Hier findet sich nämlich das Museum des Korps für Nationale Sicherheit, es ist also ein alles andere als erfreulicher Ort. Der Karlshof selbst läßt schon von außen seine Ungewöhnlichkeit deutlich werden. Es handelt sich hier um einen Bau mit achteckigem Grundriß und einer zentralen Kuppel. 1350 von Karl IV. gestiftet und 1377 „Karl dem Großen" geweiht, erinnert er an die Pfalzkapelle.

Der Karlshof liegt direkt am Abbruch zum Nusle-Tal, und nur wenige Meter von seiner Ummauerung entfernt spannt sich die **Klement-Gottwald-Brücke** (*most Klementa Gottwalda*) über das Tal. Die Brücke führt direkt über die darunter liegenden Mietshäuser von Nusle und ist mit ihren 500 Metern die zweitlängste Brücke in

Links: Ein kurzes Sonnenbad in der Mittagspause. Rechts: Szene aus U Fleků

Prag. Am Ende der Brücke gibt es gleich zweimal Glaspaläste. Zum einen das neue **Hotel Forum**, 1988 fertiggestellt, und auf der anderen Seite den **Kulturpalast** *(Palác kultury)*, einen der „bedeutendsten Bauten der Gegenwart", feierlich eröffnet am 2. April 1981. Die erste große Veranstaltung im „Kultur"palast war der XVI. Parteitag der KPTsch. Mit einem Kongreßsaal für 3000 Zuhörer, der in einen Konzertsaal umfunktioniert werden kann, und einer Gesamtfläche von 278.000 Quadratmetern auf vier Stockwerken ist der *Palác kultury* ein „Prunkstück" zeitgenössischer Prager Architektur.

Geht man über die *Ke Karlovu* langsam wieder zurück und am Karlshof vorbei, trifft man auf der rechten Seite auf die **Villa Amerika,** das Antonín-Dvořák-Museum. 1717-20 wurde der kleine, anmutige Bau für die Familie Michna als Lustschlößchen gebaut. In der tristen Umgebung der Universitätsbauten ist die kleine barocke Villa, benannt nach einer ehemaligen Gaststätte

aus dem 19. Jahrhundert, eine angenehme Abwechslung für das Auge. Das gegenüberliegende **Lapidarium** in der Kirche **St. Katharina,** zu erreichen über die *Kateřinská*, ist weniger ansprechend. Die Kirche, die ebenfalls auf eine Stiftung von Karl IV. im Jahre 1355 zurückgeht, wurde in den Hussitenkriegen weitgehend zerstört. Nur der achteckige Turm ist aus jener Zeit übriggeblieben. Das heutige Erscheinungsbild geht auf den Umbau von 1737 zurück. Die Sammlung von Abgüssen und Holzschnitzwerken kann momentan nicht besichtigt werden.

U Kalicha: Gleich neben der Villa Amerika und dem Lapidarium in der *Na bojišti 14* ist eine der wichtigsten Kneipen von ganz Prag, **U Kalicha** (Zum Kelch). Als Wirtshaus in einer unscheinbaren Straße der Prager Neustadt gelegen, deuten die vor dem Haus parkenden Busse an, daß es hier etwas Besonderes geben muß. Und so ist es auch. Hier kehrte nämlich oft der Prager Schriftsteller Jaroslav Hašek ein,

U Fleků – für die Freunde des tschechischen Biers ein absolutes Muß.

dessen Roman *Die Abenteuer des braven Soldaten Schwejk* den „Kelch" berühmt gemacht haben. „Wenn der Krieg aus ist, so komm' mich besuchen. Findest mich jeden Abend um sechs im Kelch", sagt Schwejk zu seinem Freund. Heute ist das Lokal eine Pilgerstätte. Die Wände sind bemalt mit Zeichnungen und Zitaten, die Kellner verkleidet – wie man es aus Buch und Film kennt. Dazu kommt eine Speisekarte, die eine gewisse Kenntnis des Romans voraussetzt. So gibt es z. B. *Frau Müller's Rostbraten, Palivec-Spieß* und so fort. Einziger Nachteil am Kalich: die unzähligen Touristenbusse, die hier zum Mittagessen anfahren. Wer übrigens weiter auf den Spuren des Bohemien Jaroslav Hašek wandeln möchte: Sein Geburtshaus liegt ebenfalls in der Neustadt, in der von der Vodičkova abzweigenden Školská.

Ein weiterer berühmter Schriftsteller der Prager Neustadt ist Franz Werfel, der am Prager Stadtpark wohnte und dessen Vater eine Handschuhfabrik in

der *Opletalova* hinter dem Hotel Esplanade hatte. Das berühmte **Café Arco,** Treffpunkt der „Arconauten" (Franz Werfel, der rasende Reporter Egon Erwin Kisch, Franz Kafka, Max Brod und die Redaktion der deutschsprachigen *Prager Zeitung*) liegt in der nördlichen Hälfte der Neustadt in der *Hybernská 16.* Damals meinte jedenfalls Karl Kraus, daß es in Prag überall „brodelt und werfelt, kafkat und kischt". Das ist endgültig vorbei und das Café Arco nichts weiter als ein trauriges Relikt. Das **Grab Franz Kafkas,** dessen Besuch man gut mit der Besichtigung der Prager Neustadt verbinden kann, liegt im **Neuen jüdischen Friedhof** *(Židovské hřbitovy;* samstags geschlossen). Man steigt bei der Metrostation Linie A *Želivského* aus. Der Weg zur Grabstätte ist auf einer Tafel am Friedhofseingang angegeben.

Kommt man nicht mit dem Zug an, so lohnt es sich, dennoch einen Blick in den **Hauptbahnhof** *(Hlavní nádraží)* zu werfen. Der Jugendstilbahnhof wurde in den siebziger Jahren mit einer großen und geräumigen Vorhalle bedacht, das Ganze durchaus ein gelungenes Konzept. Nicht weit vom Hauptbahnhof erstreckt sich, schon im Stadtteil **Weinberge** *(Vinohrady),* der *Riegrovy sady,* ein großer und schön angelegter Park entlang dem Hügel, von dem man einen sehr schönen Blick über die Stadt bis hin zum Hradschin hat. Zum Park gehört auch ein großer Biergarten, der nicht von Touristen überschwemmt ist und in dem abends meist eine Tanzkapelle spielt.

Etwas außerhalb, schon im Stadtteil Žižkov gelegen, findet sich die **Nationale Gedenkstätte** *(Národní památník),* ein gewaltiger, mit Granitplatten verkleideter Kubus mit dem „Grab des unbekannten Soldaten" sowie den Gräbern der Staatspräsidenten Gottwald und Zápotocký. Davor steht als eines der größten Reiterstandbilder der Welt, das Denkmal des Hussitenführers Jan Žižka. Nur das Stalindenkmal, das 1963 abgebrochen wurde und den Letnáhügel beherrscht hatte, war größer.

Links: Alles wie im Schwejk-Roman: „Schwejkomanie" im U Kalich. Rechts: Gedenkstätte für Jan Palach am Wenzelsplatz.

BONY A KLID – BONY UND RUHE

„Tauschen?" ist eine Frage, die Ihnen in Prag sicherlich zehnmal am Tag gestellt wird – im Hotel, wenn der Portier nach langem Warten endlich den Schlüssel herausgibt und hinzufügt: „Wenn Sie vielleicht noch nicht...", im Aufzug des Hotels, wenn man angesprochen wird „Falls Sie...", im Restaurant beim Bezahlen oder sogar im Reiseomnibus, der auf der Autobahn von

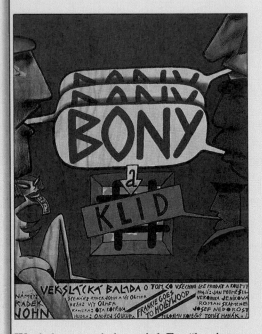

Wechslern angehalten wird. Es gäbe eigentlich immer eine gute Gelegenheit, an billige Kronen zu kommen, wenn – ja, wenn nicht. Es sei hiermit dringend abgeraten, auf die noch so verlockend erscheinenden Angebote von Schwarzwechslern einzugehen.

Vor allem in der Hauptsaison kann man täglich in Prager Zeitungen von aufgeflogenen Wechslerringen lesen. Und so mancher mußte, hat er bei einem dieser Leute gewechselt, böse Überraschungen erleben. Also Finger weg – auch wenn man das Drei- und Vierfache des offiziellen Kurses angeboten bekommt.

Die Geschichte eines solchen Schwarzwechslers erzählt der tschechische Film *bony a klid*. Es ist eine einfache Story von einem Jungen vom Land, der nach Prag kommt und dort – schwarz natürlich – Devisen tauschen möchte. Er braucht sie, um in einem der Tuzex-Läden Elektrowaren für eine kleine Disco einzukaufen. Er wird reingelegt – klar –, man dreht ihm falsche Dollars an. Natürlich läßt er sich das nicht gefallen, er geht zur Polizei usw.

Schließlich gelangt er selbst in den Kreis der organisierten Wechsler, stoppt auf der Autobahn Omnibusse mit Westtouristen und wechselt, wechselt, wechselt. Tauchen Skrupel auf – mit Geld werden sie zugeschüttet. Daher der Titel: *bony a klid* – Tuzex-Bons und Ruhe. Solange, bis eines Tages die ganze Bande hochgeht. „Wechseln, das ist so eine Art Hobby", sagt im Vorspann einer, den es erwischt hat.

In den Tuzex-Geschäften, in denen es außer böhmischem Glas, Schnaps und Zigaretten für Touristen auch viele wichtige Dinge für den tschechischen Alltag gibt, kann man eben nur mit harten Devisen bezahlen. Und wo sollen die herkommen, wenn nicht von solchen Aktionen. Die Tuzex-Läden sind ein kleines Paradies – mit Sony und Johnnie Walker, Auto-Ersatzteilen und Videokassetten, nur eben viel teurer und in Devisen. Tuzex-Kronen gibt es offiziell in der Staatsbank und an den Grenzübergängen zu tauschen ...

In den Tuzex-Läden gibt es relativ billig inländische Produkte wie Becherovka und Sliwowitz, Schallplatten und Glas zu kaufen. Ein Besuch in einem Tuzex-Laden vermittelt auch einen Einblick in die materiellen Lebensbedingungen in der ČSSR, zeigt, wovon viele träumen und was das aktuelle Warenangebot ist.

Vorhergehende Seiten: Das Repräsentationshaus. *Pionkrál*, **mythische Könige, in Vojanovy sady. Links: Filmplakat. Rechts: Fensterputzer am Hotel Forum.**

LATERNA MAGICA UND „ŠPEJBL UND HURVÍNEK"

Das Spektrum des Prager Theaterlebens, das auf einer alten Tradition beruht, ist breiter und mit originelleren Inszenierungsgedanken belebt, als es sich so mancher „Westler" vorstellen kann: Es reicht von der Laterna Magica, einem „Theater zwischen Traum und Wirklichkeit", über die drei Bühnen des Nationaltheaters mit Opern-, Schauspiel- und Ballettprogrammen von gutem Niveau bis zum Operettentheater

der verschwunden sind. Jeder Besucher Prags kann in der Tagespresse oder in dem fremdsprachigen Monatsprogramm des Prager Informationsdienstes nachlesen, wo und wann welche Veranstaltungen stattfinden.

Laterna Magica ist weltweit ein Synonym für die perfekte Illusion, ein faszinierendes, millimetergenau abgestimmtes Miteinander von Theater, Film, Pantomime und Tanz. Dabei wirken alle Teile nie selbstän-

Hudební divadlo Karlín und dem Schallplattentheater **Hudební divadlo – Lyra Pragensis.** Mit *Špejbl und Hurvínek* überschreitet es die Grenzen des Marionettentheaters für Kinder, läßt den schon jahrelang berühmten Pantomimen Ladislav Fialka im **Divadlo Na zábradlí** und die jüngere Pantomimenbühne **Bránické divadlo pantomimy** erkennen, bietet zur Abwechslung kleine Verlockungen wie die *Komorní opera Praha, Černé divadlo* (Schwarzes Theater) oder das **Pražský komorní balet.** Am Rande Prags finden sich kleine Bühnen und Theater, die oft rasch entstehen und aus den verschiedensten Gründen ebenso rasch wie-

dig, sondern nur als Ganzes. Seit 30 Jahren bemüht sich das rund 60köpfige Ensemble, Phantasie und Poesie, Komödie und Tragödie zu verwirklichen. Mittels einer ausgeklügelten Technik mit Projektionen, Stellwänden, Ausstattung und Darstellern im Spiel zwischen Licht und Schatten verschmelzen Film und Theater, Pantomime und Tanz zu einem ungewöhnlichen Bühnenstück. Im Mittelpunkt des Spektakels steht der optische Eindruck, der Dialog zwischen Leinwand und Bühne. Jede neue Aufführung dieses „Lichtspieltheaters" wird mit einem anderen Schlüssel inszeniert. Nach den jahrzehntelang bewährten

Programmen wie z. B. *Zauberzirkus* folgen nun Vorstellungen von Weltrang, *Odysseus* nach Homer oder ein Ballett *Minotauros* nach einem Libretto von Dürrenmatt.

Was bieten die drei Bühnen des Nationaltheaters, das **Nationaltheater** *Národní divadlo* selbst, das **Smetana-Theater** *Smetanovo divadlo* und die **Neue Bühne** *Nová scéna,* den Opern- und Ballettliebhabern? Das Programm dieser größten Prager Theaterinstitution mit 2000 Angestellten besteht außer aus den Schau- und Singspielen vor allem auch aus den Werken hiesiger Komponisten. Gute Orchestermusik, ein durchschnittlicher Gesang oder Ballett ohne Spit-

oper *Dalibor,* die weltberühmte „Lederhosen“-Oper *Die verkaufte Braut (Prodaná nevěsta),* die komische Oper mit dem Kleinstadtstreit *Das Geheimnis (Tajemství),* eine andere komische Oper über den Streit des Teufels mit dem heuchlerischen Einsiedler *Die Teufelswand (Čertova stěna),* das Salon-Singspiel *Zwei Witwen (Dvě vdovy)* und schließlich Smetanas Oper *Die Brandenburger in Böhmen (Braniboři v Čechách),* die 1866 kurz vor der Schlacht bei Sadowa ihren ersten Erfolg feierte und seitdem ständig aufgeführt wird.

A. Dvořák, der von der Musikwelt früher als Smetana anerkannte tschechische Kom-

zenleistungen, überraschend poetische, moderne Inszenierungen unter der Leitung von J. Svoboda – das Ganze als Visitenkarte Prager Theaterkultur.

Vor allem von dem berühmten tschechischen Komponisten B. Smetana kann der Besucher Prags zur Zeit die ganze Palette seiner romantischen Opern bewundern: die Fürstin *Libussa (Libuše),* die Dorfoper *Der Kuß (Hubička),* die mittelalterliche Ritter-

Links: Zwischen Traum und Wirklichkeit – eine Aufführung von Laterna Magica. Oben: Die Ränge im Nationaltheater.

ponist, wird durch die Aufführungen seiner Oper *Rusalka* und weitere Werke geehrt. Von dem inzwischen ebenfalls berühmt gewordenen B. Martinů ist einstweilen nur die Oper *Ariadne* auf dem Programm. Die zeitgenössische Musik findet der Liebhaber besonders in *L. Janáčeks* Werken, wo Prag allerdings das Privileg der Authentizität der Aufführungen hält. *Jenufa (Její pastorkyně),* eine ebenso tragische Oper wie *Katja Kabanova (Káťa Kabanová)* nach Ostrovskijs *Sturm;* das poetisch-philosophische Werk über Mensch und Natur *Das schlaue Füchslein (Příběhy Lišky Bystroušky)* und die wohldurchdachte Kritik des Spießbür-

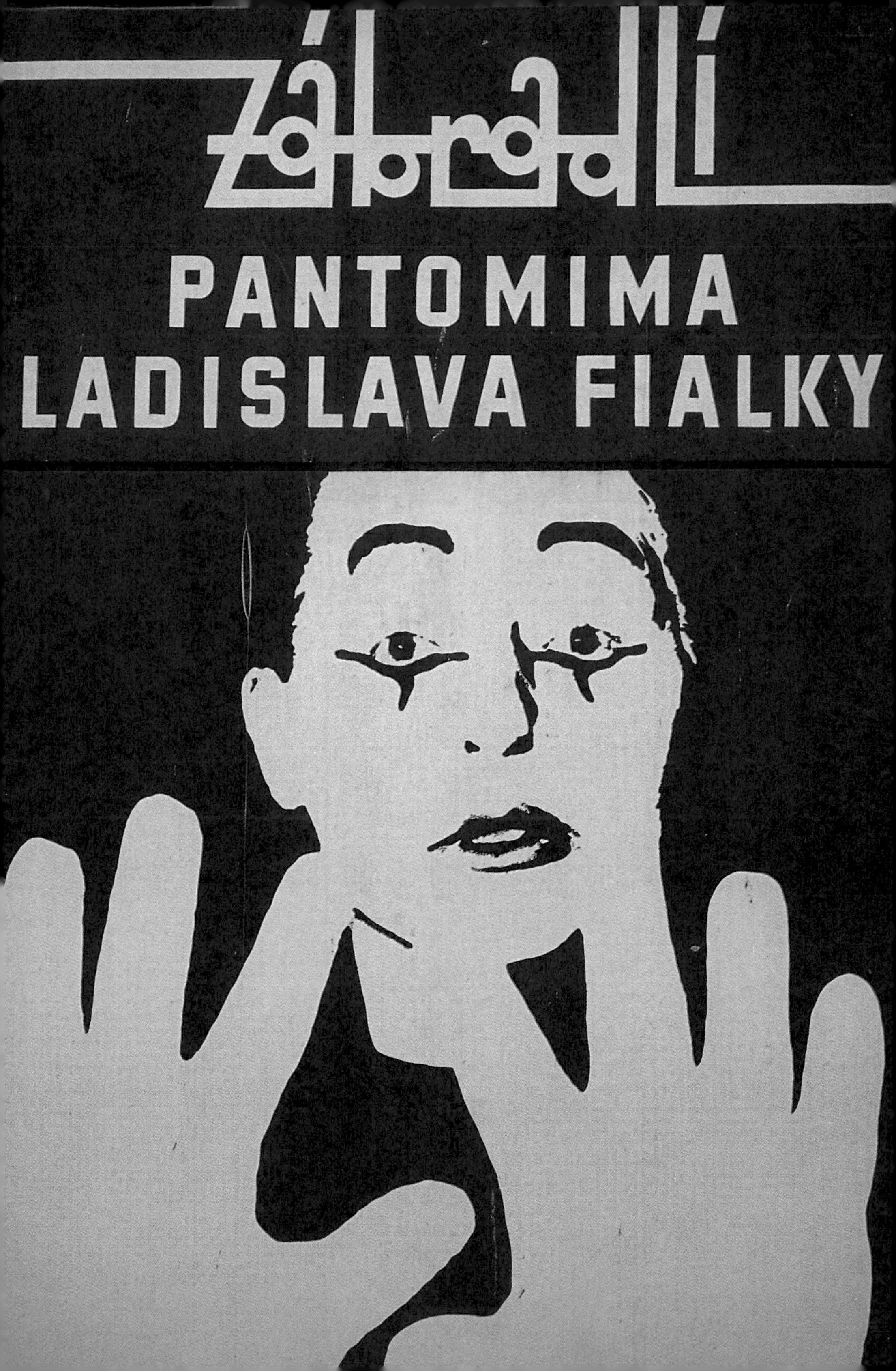
Zábradlí
PANTOMIMA
LADISLAVA FIALKY

gertums, mit dem Titel *Ausflüge des Herrn Brouček (Výlety pana Broučka)*.

In der mit jüngeren Sängerstimmen arbeitenden Kammeroper **Komorní opera Praha** wird auch G. Pasiellos *Così fan tutte* aufgeführt. Die Oper gastiert im Kulturpalast oder im *Klicperovo divadlo*.

Selten nur erscheint in Prag das hier beheimatete *Černé divadlo*, das berühmte **Schwarze Theater** Jiří Srnec's, das meist auf Auslandstournee ist. Ebenso selten ist das ohne eigene Bühne arbeitende **Prager Kammerballett** *Pražký komorní balet* von P. Šmok anzutreffen, das ebenfalls mehr im Ausland gastiert als in Prag. Schallplatten- und Rezitationsabende findet man in dem kleinen Musiktheater **Hudební divadlo – Lyra Pragensis.**

Das **Hudební divadlo Karlín,** das **Musiktheater Karlín,** ist eine Operettenbühne, in der in üppig ausgestatteten Aufführungen auch *Die Fledermaus, Das Land des Lächelns* oder sogar *My Fair Lady* gespielt werden.

Das **Theater am Geländer,** *Divadlo Na zábradlí,* wird von den Besuchern, wenn eine Vorstellung des Pantomimen Ladislav Fialka auf dem Programm steht, geradezu gestürmt. In Anknüpfung an die lange französische Tradition entwickelte der Künstler in den letzten Jahrzehnten seine eigenen Prager Pantomime-Inszenierungen. Es sind dies im Rahmen der „stummen" Pantomime bleibende Vorstellungen, deren einzelne Szenen von einem einheitlichen Inszenierungsgedanken geformt werden.

In den *Etuden* findet sich Humorvolles, in *Die Lieben (Lásky)* sind vor allem die verschiedenen Formen menschlicher Liebesbeziehungen von der Jugend bis ins Greisenalter thematisiert. *Sny* sind von der klassischen tschechischen Musik untermalte Szenen, *Noss* heißt ein modernes, ergreifendes Drama über die Menschenwürde. Fialkas Ehrenbezeigung an den großen Mimen Jean Gaspard Debureau, *Funambules,* beginnt mit einer wirkungsvollen Exposition: Der Mime stürzt plötzlich auf die Bühne,

verfolgt von Granatexplosionen und dem Geknatter von Maschinengewehren. Das Getöse verstummt, und Fialka schickt sich an, Bilder großer Komiker zu projizieren, Chaplin, Grock, Lloyd und Debureau. Ein kleiner, in den Farben früherer Kabaretts strahlender Vorhang fällt, und die Vorstellung nimmt ihren Lauf. Fialka schuf seine Pantomimen mit Hilfe noch erhalten gebliebener Libretti, Rezensionen aus der Zeit der großen Mimen und aus den Erinnerungen von Debureaus Zeitgenossen.

Die Pantomime entwickelte sich in Prag in den letzten Jahren weiter. So entstand 1981 das *Bránické divadlo pantomimy*, das

Pantomimentheater Branik, wo verschiedene Gruppen wie etwa CVOCI oder MIM-TRIO auftreten.

Špejbl und Hurvínek nennt sich ein **Puppentheater** auch für Erwachsene. Das im Westen durch Fernsehauftritte bekannte Marionettentheater ist die einzige Bühne mit zwei komischen Hauptfiguren: dem spießbürgerlichen, 1920 „geborenen" Vater Špejbl und seinem um sechs Jahre „jüngeren", etwas ausgelassenen, aber dafür klügeren Sohn Hurvínek. Gerade wer mit Kindern in Prag weilt, sollte sich eine Aufführung dieses Theaters in deutscher Sprache nicht entgehen lassen.

Links: Ladislav Fialka ist bereits ein Klassiker der Pantomime. Oben: Vor dem Novo divadlo – der Neuen Bühne.

DAS EHEMALIGE PRAGER GHETTO

Aus dem früheren Ghetto, seit der Aufklärung „Josefstadt" genannt und später zum 5. Teil Prags geworden, sind nach der Assanierung von 1890-1910, die durch die Prager Stadtverwaltung veranlaßt und durchgeführt wurde, nur das Jüdische Rathaus, sechs Synagogen und der alte jüdische Friedhof geblieben. Sie befinden sich jetzt in der Verwaltung des Staatlichen Jüdischen Museums. Was die Nationalsozialisten zum „Exotischen Museum einer ausgestorbenen Rasse" machen wollten, wurde nach der Befreiung zur größten Sammlung jüdischer Kultgegenstände in Europa.

Das **Jüdische Rathaus** in der *Maiselova 18* wurde 1586 von Pankraz Roder im Renaissance-Stil errichtet und 1765 von Josef Schlesinger im Barockstil umgebaut. 1900-1910 wurde noch der südliche Teil angebaut. Die Zeiger

der mit hebräischen Ziffern versehenen Uhr laufen links herum, ebenso wie die Thora-Schrift von rechts nach links gelesen wird. Heute ist hier der Sitz der Prager jüdischen Gemeinde.

Die **Altneu-Synagoge,** die älteste bestehende Synagoge Europas, ist ein einzigartiges Vorbild einer zweischiffigen mittelalterlichen Synagoge. Auch heute noch werden hier Gottesdienste abgehalten. Von außen ist das Gebäude ein einfacher, rechteckiger Bau, versehen mit einem hohen Satteldach und einem spätgotischen Giebel aus Ziegelsteinen. Die Außenmauern mit schmalen Spitzbogenfenstern sind durch Stützpfeiler verstärkt. Die niedrigen Anbauten um das Hauptgebäude dienen als Synagogenvorraum und als Frauenschiff. Die Konsolen, Pfeilerköpfe und Gewölbschaften sind mit reicher Reliefverzierung und mit kunstvollen pflanzlichen Motiven belebt.

Die Mitte des Hauptschiffs zwischen den beiden Pfeilern nimmt der Almemor mit dem Pult zur Verlesung der Thora ein, von dem restlichen Raum durch ein gotisches, mit Eselrücken-Motiven versehenes Gitter getrennt. In der Mitte der Ostwand befindet sich der Thoraschrein, geformt von zwei Renaissance-Säulen auf Konsolen, mit einem dreieckigen Tympanon, dessen Abschluß eine Kreuzblume bildet.

Das hier aufbewahrte Hohe Banner wurde von Karl IV. 1353 verliehen. Sein heutiges Aussehen erhielt es 1716 zur Zeit Karls VI.

Die **Hohe Synagoge** war ursprünglich Bestandteil des von Pankratius Roder gebauten jüdischen Rathauses, mit dem sie funktionsmäßig zusammenhing. 1883 wurde der Zugang zum Rathaus zugemauert und eine Innentreppe eingezogen. Der Saal der Synagoge, fast quadratisch im Grundriß und von hohen Fenstern erhellt, wirkt sehr weltlich. Die dreiteilige Gliederung der Wände durch flache Pilaster im unteren Raum entspricht dem Lünettengewölbe und der Anordnung der Fenster in der nördlichen Wand. Das zentrale Gewölbe mit reicher Stukka-

Links: Die Zinnen der Altneu-Synagoge. Rechts: Das Jüdische Rathaus in der Maiselova.

tur, die die Profilierung gotischer Rippen nachahmt, zeigt die Anpassung der Renaissance-Formen an die spätgotische Empfindung. Im unteren Raum befindet sich auch die ständige Ausstellung kultischer Textilien.

Die **Maisel-Synagoge,** vom Primas der Prager alten jüdischen Stadt, Mordechai Maisel, als Familiensynagoge 1590-92 gegründet, wurde von Joseph Wahl und Juda Goldschmied im Renaissance-Stil gebaut und dann von Prof. A. Grotte 1893-1905 im neugotischen Stil umgestaltet. Seit 1965 befindet sich hier die ständige Ausstellung synagogalen Silbers.

Die **Spanische Synagoge** in der *Dušní 12*, 1868 von V. I. Ullmann entworfen, hat einen quadratischen Grundriß und eine mächtige Kuppel über dem Zentralraum. An drei Seiten ruhen Metallkonstruktionen, die sich völlig in das Hauptschiff hinein öffnen. Die wunderbaren Ausschmückungen im Inneren gaben dieser Synagoge ihren Namen „Spanische Synagoge".

Die **Klausensynagoge,** in der noch bis 1939 Gottesdienste abgehalten wurden, ist ein Barockbau mit länglichem Saalraum und mit einem Tonnengewölbe. 1694 an der Stelle der kleinen „Klause"-Gebäude, die als Bethäuser und Unterrichtsräume dienten, errichtet, weist sie zwei Reihen rund gewölbter Fenster in der zum Friedhof gerichteten Südwand auf. Die Wände gliedern gebälktragende Pilaster unterhalb eines stark vortretenden Simses. Die Synagoge dient der Ausstellung alter hebräischer Handschriften und Drucke.

Die **Pinkas-Synagoge,** ein architektonisch sehr schönes Renaissancegebäude, entstand 1535 in einem umgebauten Privathaus der führenden Ghettofamilie Horowitz. 1625 wurde sie im späten Renaissancestil von Juda Goldschmied umgebaut und um die Frauengalerie, das Vestibül und den Sitzungssaal erweitert. Die Synagoge ist seit 1958 Gedenkstätte für die 77.297 jüdischen Opfer des Holocaust aus Böhmen und Mähren. Ihre Namen sind

Im Inneren der Altneu-Synagoge.

in alphabetischer Reihenfolge, mit Geburtsdatum und Tag des Abtransports ins Vernichtungslager in den Inschriften an den Seitenwänden verewigt.

Der **Alte jüdische Friedhof,** der zu den zehn interessantesten Sehenswürdigkeiten der Welt gerechnet wird, entstand im 15. Jahrhundert durch den Ankauf der Grundstücke an der nordwestlichen Ghettogrenze. Hier wurden bis 1787 Begräbnisse vorgenommen. Die Zahl der Gräber ist bedeutend größer als die Zahl der erhaltenen 12.000 Grabsteine. Die bestehenden Gräber mußten mit Erdreich für neue Grabstellen bedeckt werden, wodurch die hügelige Oberfläche und die für diesen Friedhof so charakteristische und poetisch wirkende Anhäufung mehrerer Grabschichten übereinander entstand.

Das koschere Restaurant im Jüdischen Rathaus.

Die Grabsteininschriften geben den Namen des Verstorbenen, seines Vaters – bei Frauen auch den Namen des Ehemannes –, den Todestag und den Tag des Begräbnisses an. Der überwiegende Teil der Inschriften besteht aus poetisch abgefaßten Trauertexten. Die teilweise verwitterten Reliefs versinnbildlichen häufig den Namen des oder der Verstorbenen (Bär, Hahn...), seinen Beruf (Schneiderscheren, Arztinstrumente), seine Zugehörigkeit zu Priester- oder Hilfspriesterfamilien (segnende Hände) oder die Zugehörigkeit zum Stamme Israel (Weintraube).

Das älteste Monument ist der Grabstein des Dichters Avigdor Karo von 1439. Hier liegt aber auch seit 1609 der berühmte Gelehrte und vermeintliche Schöpfer des Golem, Jehuda Löw, begraben, seit 1601 der Primas Mordechai Maisel, 1613 der Gelehrte und Astronom David Gans, 1655 der Gelehrte Schelomo Delmedigo, 1736 David Oppenheim. Eine prächtige Tumba errichtete 1628 der Waldstein-Finanzmann Jakob Bassevi von Treuenburg seiner Frau Hendele.

Im neoromantischen **Zeremonienhaus** befindet sich die Ausstellung der Kinderzeichnungen aus dem Konzentrationslager Theresienstadt.

AUS DEM PRAGER GHETTO

Die sich seit 1848 frei entwickelnde jüdische Gemeinschaft Prags wurde nach der Okkupation Böhmens und Mährens am 15.3.1939 von der nationalsozialistischen Macht fast völlig durch den Holocaust vernichtet. Heute beläuft sich die Zahl der Mitglieder der jüdischen Gemeinde noch auf 1200 Juden. Darüber hinaus leben etwa 1500 Menschen jüdischer Abstammung in Prag.

Die Nationalsozialisten haben die „Endlösung" der jüdischen Frage systematisch geplant und vorbereitet. Die Juden wurden zuerst registriert, aus dem Wirtschaftsleben ausgeschlossen, dann von der restlichen Bevölkerung abgesondert. Sie wurden gekennzeichnet, verunglimpft, zur Armut verurteilt, aus ihren Wohnungen verdrängt. Sie wurden in die Segregationslager deportiert, ausgehungert und geistig und physisch gemartert. Für diejenigen, die nicht mehr arbeitsfähig waren, blieb nur der Tod.

Die Juden in dem damaligen „Protektorat Böhmen und Mähren" erlebten unter der Nazi-Okkupation außer der „Reichskristallnacht" alles, was den Juden im Deutschen Reich seit 1933 zustieß. Gleich nach der Besetzung Böhmens und Mährens durch die Hitlerarmee wurden auch hier die „Nürnberger Gesetze" von 1935 „zum Schutze der deutschen Rasse" rückwirkend für gültig erklärt. Eine Verfolgung der Juden folgte der anderen – bis zu den Deportationen, die im Oktober 1941 begannen. Die ersten fünf Transporte mit je 1000 Menschen – hauptsächlich aus der jüdischen Intelligenz, Ärzte, Künstler, Anwälte – wurden in das sogenannte Litzmannstadt-Ghetto in Lodz deportiert, das von den Nationalsozialisten selbst als Hungerlager bezeichnet worden war. Einen Monat später wurde die alte Festung Theresienstadt in Böhmen zum jüdischen Ghetto erklärt, in das weitere Deportationstransporte nicht nur aus Prag,

Böhmen und Mähren, sondern aus ganz Europa eingeliefert wurden. Theresienstadt selbst wurde nicht zum Vernichtungslager. Von dort wurden die Juden zur sogenannten Selektion und in die Gaskammern nach Auschwitz weitertransportiert.

Aber auch in der Zeit der größten menschlichen Erniedrigung fanden sich in Prag Künstler, die genug Mut hatten, die zugefüg-

ten Erniedrigungen wenigstens zu mildern. Schriftsteller schrieben unter dem Namen ihrer Freunde, in privaten Wohnungen wurden Kulturnachmittage mit zeitgenössischer Poesie veranstaltet. Ein Amateurkreis wollte unter der Führung des berühmten Shakespeare-Übersetzers Erik Saudek den „Dreikönigs-Abend" durchführen. Der Schriftsteller Norbert Frýd trug mit dem Komponisten Karel Reiner Kindern im Waisenhaus seine vertonten Verse *Ein mit Blumen verziertes Pferd* als Einführung ins Alphabet vor, im Waisenhaus in Košíře wurde Glucks Oper *Der betrogene Kadi* aufgeführt.

Links: Grabstein auf dem alten Jüdischen Friedhof. Oben: Im Konzentrationslager.

VYŠEHRAD

Die Moldau kommt vom Böhmerwald und erreicht am Felsen des Vyšehrad die Stadt Prag. Hier soll auch der Legende nach die Herrschaft der weisen zauberkundigen Frauen aus dem Zeitalter der Mythen durch die Herrschaft der Männer abgelöst worden sein. Dies geschah durch die Vermählung der Fürstin Libuše mit dem Bauern Přemysl, und zum Wohl des tschechischen Volkes regierten deren Nachkommen bis 1306 unserer Zeitrechnung. Am Felsen, auf dem die beiden in einem prächtigen Palast gewohnt haben sollen, hatte Libuše auch ihre Vision, in der sie Glanz und Größe der neuen Hauptstadt voraussagte.

Stätte tschechischen Nationalgefühls: Erst im vorigen Jahrhundert trat der Vyšehrad neuerlich in das neu auflebende tschechische Nationalbewußt-

sein. Mit reicher Phantasie geschmückt, wurde der Vyšehrad wieder Sitz der Libuše und Ort des Beginns tschechischer Geschichte. Viele Künstler, Dichter und Maler, Musiker und Bildhauer, Historiker und Architekten haben daran mitgewirkt. So wurde hier ein denkwürdiger Platz geschaffen, der in besonderer Art und Weise etwas von diesem Volk zeigt, das in der Mitte Europas lebt – Slawen, von deutschen Stämmen umgeben, in vielfältigen Beziehungen zu diesen Nachbarn, und doch in Wesen und Sprache anders.

Das älteste Bauwerk am Vyšehrad ist die **Martins-Rotunde,** ein romanischer Bau, der, nach dem Jahr 1000 errichtet, zu den ältesten christlichen Kirchenbauten des Landes gehört. Ähnliche Rotunden finden sich an mehreren Orten des heutigen Prag, so zum Beispiel die Hl.-Kreuz-Rotunde in der Altstadt oder St. Longius in der Neustadt. Sie deuten darauf hin, daß es sich einmal um Kerne einzelner Ansiedlungen handelte.

Mehr weiß man über die **Kirche Peter und Paul** des Vyšehrader Kapitels, die dem Besucher in der neugotischen Form von 1885-1887 gegenübersteht. Zur Zeit sind Archäologen damit beschäftigt, die Mauern der Vorläuferbauten zu untersuchen. Früher war der Vyšehrad aber auch Ziel frommer Wallfahrten. Hier in der Peter-und-Pauls-Kirche war das Tafelbild der im Volksmund so genannten *Regen-Madonna* aufbewahrt, die sich heute in der Ausstellung des Georgsklosters auf dem Hradschin befindet.

Ende des 19. Jahrhunderts wurde die Festung saniert, der Vyšehrad hatte seine strategische Bedeutung verloren, und ein Zentrum des tschechischen Volkes wurde geschaffen. Im Mittelpunkt der patriotischen Bemühungen stand in den 1870er Jahren die Errichtung eines *Slavín*, eines Friedhofes mit Erdgräbern. Erbaut wurde er von dem Architekten Anton Wiehl und später mit dem Ehrengrab am Ende der Hauptallee mit dem Figurenschmuck von Josef Mauder fertiggestellt.

Vorhergehende Seiten: Herr und Hund im Letrá-Park. Links: Portal der Martins-Rotunde.

Der Slavín: Auch heute noch finden sich viele Gräber mit Blumen geschmückt. Es sind keine „Kämpfer" oder „Helden", die hier begraben liegen, sondern Dichter, Musiker und Künstler. Die Werke dieser Künstler sind immer noch im Gedächtnis der Nation lebendig.

Allen voran sind dies die berühmtesten tschechischen Komponisten, deren Werke in der ganzen Welt gespielt werden: Bedřich Smetana und Antonín Dvořák. Allein Smetanas *Verkaufte Braut* wurde in Prag über fünftausend Mal aufgeführt. Es finden sich aber nicht nur diese Komponisten, sondern auch große Musiker wie der Geiger Jan Kubelík oder der damals berühmte Virtuose Josef Slavík.

Hier liegt auch der Autor der *Kleinseitener Geschichten* begraben, Jan Neruda. Seine Erzählungen aus der Welt des Kleinbürgertums im Schatten der Paläste, mit den alten Frauen und ihren Traumbüchern, den mondsüchtigen Studenten, den brummelnden Hausmeistern sowie skurrilen Gestalten aus den Höfen und Pawlatschen (Holzumgänge) sind immer noch eine wichtige Prager Lektüre. Aus der Generation Jan Nerudas liegen hier auch Svatopluk Čech, Jaroslav Vrchlický und Karel Hynek Mácha, dessen Maigedicht jeder Böhme kennt.

Unter den bildenden Künstlern und Malern sind es Mikoláš Aleš, Josef Myslbek oder Jan Štursa, aus der neueren Zeit der Schriftsteller Karel Čapek oder der vor allem wegen seiner Jugendstil-Plakate berühmte Maler und Graphiker Alfons Mucha.

Der Vyšehrad ist gut über die Metrostation Gottwaldova zu erreichen, vorbei am gigantischen Kulturpalast. Es führt aber auch ein schöner Fußweg von der *Slavojova Čiklova* oder direkt vom Moldauufer durch den dichtbewachsenen Park zur Burg. Von den Resten der alten Festung bietet sich ein schöner Blick auf die Stadt und die Moldau mit ihren Segel- und Ruderbooten.

St. Peter und Paul auf dem Vyšehrad.

BÖHMISCHES GLAS

Auf dem Gebiet der heutigen Tschechoslowakei kann man die Kenntnis und Verwendung von Glas in Form von Halsbandperlen, später von Armbändern, auf Grund von Ausgrabungen schon seit der Bronzezeit belegen. Parallel mit dem ersten Hohlglas zur Verwendung als Trinkgefäß wurden im frühen Mittelalter Fenster, Glasscheiben und Wandmosaike erzeugt. Unter Karl IV.

Kreibitz *(Chřibská)* im Lausitzer Gebirge erwähnt, die großen Einfluß auf die Entwicklung der böhmischen Glasindustrie hatte.

Im 16. Jahrhundert stellte das rustikale Waldglas die verfeinerten Sitten der humanistischen Aristokratie der höfischen Gesellschaft zur Zeit der Regierung der ersten Habsburger nicht mehr zufrieden. Nach venezianischem Vorbild wurde das dünnwan-

entstand 1370 das monumentale Mosaik am Südportal des Veitsdomes in Prag mit Szenen des Jüngsten Gerichts. Um 1380 sind auch die großartigen Fenster der St.-Bartholomäus-Kirche in Kolín datiert. Das Gebrauchsglas dieser Zeit repräsentieren wie in den mitteleuropäischen Nachbarländern Flaschen und Fläschchen, der grünliche oder bräunliche „Krautstrunk".

Am Anfang des 15. Jahrhunderts sind für Böhmen acht Glashütten belegt, für Mähren fünf und für Schlesien, das damals zum böhmischen Reich gehörte, acht. Bereits 1427 wird die bis heute bestehende Glashütte in

dige, in der Masse verfeinerte Glas in harmonischen Renaissanceformen hergestellt. Zum Ende des Jahrhunderts und nach 1600 dienten zylinderförmige Humpen als idealer Untergrund für die berühmte Emailmalerei.

Von 1600-1610 hat am Prager Hof Rudolfs II. der Edelsteinschneider Caspar Lehmann aus Uelzen (1563-1622) den Schnitt am Glas probiert. Damit war der Glasschnitt als neue Form der Bearbeitung geboren. In Böhmen setzte sich die Herstellung des geschnittenen Glases erst um 1680 fort. Nun beginnt der Großexport von böhmischem Kristallglas in alle Richtungen. Ein Beispiel:

Georg Kreibich aus Steinschönau *(Kamenický Šenov)* unternahm zwischen 1682 und 1721 insgesamt 30 Geschäftsreisen durch ganz Europa. Unter den Betriebsleitern der Glashütten in Nord- und Nordostböhmen und im Böhmerwald in der ersten Hälfte des 18. Jahrhunderts befinden sich berühmte Familien wie Kinsky oder Harrach.

Die klassische Form des böhmischen Barockpokals mit geschliffenem Balusterfuß oder des vielwandigen Bechers aus feiner, dünner Glasmasse wurde mit reichem Blumen-, Girlanden- und Groteskenornament geschnitten.

glas mit bemaltem Emailfarbendekor durch. Dazu kamen um 1800 kontrastive Tendenzen in der Form von schlichten, fein geschliffenen und gravierten Empire- und Biedermeiergläsern.

Ab 1820 sorgt für neue Attraktivität und kommerziellen Erfolg das von Friedrich Egerman entdeckte dickwandige Farbglas: Schwarzer Hyalith, Achatglas, Lithyalin und neue Anwendungen des Rubinglases kommen jetzt in den Verarbeitungsprozeß. Den Ruhm des böhmischen Glases mehrten im 19. Jahrhundert das Spiegel- und Tafelglas sowie Glaskorallen. Letztgenannte

Nach 1720 wird das Sortiment um Zwischengoldglas und die Schwarzmalerei in der Art von Ignaz Preissler (1676-1741) bereichert. Ähnlich wie das geschnittene und geschliffene Glas genießt der böhmische Leuchter mit geschliffenen Anhängern aus Kristallglas Weltruf. Im 18. Jahrhundert wurde diese Lüsterware bereits an den französischen und den zaristischen Hof exportiert.

Nach einer Stagnation Ende des 18. Jahrhunderts setzte sich das böhmische Milch-

Links: Glasfenster des St.-Veits-Doms. Rechts: Das bekannte böhmische Kristallglas.

Ware überlebte in Gablonz *(Jablonec nad Nisou)* unter der Firmenbezeichnung JABLONEX bis in unsere Tage.

Mit Namen wie Loetz, Lobmayer, Jeykal tritt das böhmische Glas mit der Jugendstil-Formensprache voller Phantasie und Farb- und Metalleffekten ins 20. Jahrhundert ein. Neben den Gebrauchs- und technischen Funktionen ist modernes Glas Gegenstand der bildenden Kunst geworden. Nach dem Zweiten Weltkrieg hat die Prager Kunstgewerbeschule eine Generation von Künstlern ausgebildet, die großen Erfolg auf Ausstellungen der 50er und 60er Jahre hatten.

LORETO UND NOVÝ SVĚT

Wer vom Hradschinplatz aus zum Kloster Strahov, dem heutigen Museum der Nationalen Literatur, hinaufgeht, kann jeweils zur vollen Stunde zwischen den großen Palästen ein zartes Glockenspiel hören.

Vor vielen Jahren lebte in Prag zur Zeit der Pest eine Mutter mit ihren Kindern. Eins nach dem anderen erkrankte, und mit den letzten Silbermünzen, die ihr verblieben waren, ließ sie jedesmal die Glocken läuten, wenn eines ihrer Kinder starb. Münze um Münze mußte die arme Witwe opfern, alle ihre Kinder wurden von der Pest dahingerafft. Am Schluß, nachdem alle Kinder bereits gestorben waren, erkrankte sie selbst und starb. Es fand sich aber niemand, der für sie die Sterbeglocken läuten ließ. Da erklangen auf einmal alle Glocken von Loreto und spielten das Marienlied *Dich grüßen wir viel' tausendmal.* So ist es bis heute zu jeder vollen Stunde geblieben.

Es läßt sich aus dieser Prager Geschichte die Bedeutung erahnen, die dieses Heiligtum für viele Menschen hat. Es ist eben nicht nur eine kunsthistorische Sehenswürdigkeit, sondern immer noch ein Wallfahrtsort.

Als Nachbau des berühmten Lauretanischen Hauses in Italien entstand das **Prager Loreto** am *Loretánské nám.* als Stiftung der Benigna Katharina von Lobkowic, die am 3. Juni 1626 hier den Grundstein legte. Giovanni Battista Orsi aus Como hat den Bau 1631 vollendet. Wie an vielen Wallfahrtsorten kamen neue Stiftungen hinzu, Kapellen und auch eine große Kirche, aber auch die Umgänge, die den Pilgern Schutz vor Regen und Sonne boten und in denen die Prozessionen stattfanden und die Lauretanische Litanei erklang. Sie ist in den Gewölbefresken aufgemalt.

Casa Santa: Welche Bewandtnis hat es nun mit Loreto, finden sich doch so

Die Casa Santa von Loreto in Prag.

viele Nachbauten des heiligen Hauses an so vielen Orten? Als die Mohammedaner um die Mitte des 13. Jahrhunderts ins Heilige Land einfielen und es eroberten, waren als Obere der Franziskanerklöster in Haifa und in Nazareth zwei leibliche Brüder eingesetzt. Sie haben wohl auf ihrer Flucht das ihnen am kostbarsten Geltende mitgenommen. Und so sollen sie Stein für Stein das Haus der Heiligen Familie abgetragen haben, um es schließlich bei Renecati, dem heutigen Loreto in Italien, wieder aufzubauen. Später wurde das von vielen Rom-Pilgern besuchte und verehrte Haus mit reichen Marmorreliefs geschmückt, und so zeigen auch zahlreiche Kopien diesen Schmuck.

Wie in Loreto sind die Außenwände im **Prager Loreto** mit Renaissancereliefs geschmückt. Die Innengestaltung hält sich streng an das dortige Vorbild. Auch die Malereien, der alte Türbalken – alles mußte wie in dem echten Loreto sein. So tritt man im Prager Loreto in einen kleinen, kahlen und aller Wahr-

scheinlichkeit nach einem palästinensischen Haus nachgebauten Bau, in dem die **Loreto-Madonna** verehrt wird. Es handelt sich um eine schlanke, gekrönte Figur in langem Mantel, das Jesuskind auf dem Arm. Die reiche Außendekoration kann über die eigentliche Armut nicht hinwegtäuschen; so ist auch hier die große Spannung zwischen Reliquie und der kostbaren Fassung wie an vielen Heiligtümern überdeutlich.

Kilian Ignaz Dientzenhofer, der geniale Barockbaumeister bayerischer Herkunft, hat die ganze Anlage vereinheitlicht und die beiden Höfe mit zweigeschossigen Ambiten umzogen. Die Malereien in diesen Umgängen lassen durch die Restaurierung kaum mehr ihre ursprüngliche Schönheit erahnen. Um so ansprechender aber ist die Fülle der poetischen Bilder in der Anrufung Marias: „Du Turm Davids", „Du Pforte des Himmels" und immer wieder „Oroduj za nas" – bitte für uns!

In der Achse von Portal und Casa Santa sehen wir die Christ-Geburt-Kir-

Verträumte Stille in Nový Svět.

che, einen von bedeutenden Künstlern ausgestatteten Sakralraum, der 111 Jahre nach der Grundsteinlegung fast auf den Tag genau am 7. Juni 1737 eingeweiht wurde.

Monstranz mit 6222 Diamanten: Wie an vielen Wallfahrtskirchen haben auch hier die Pilger zum Dank Votivgaben an die Schatzkammer gestiftet. Die Geschenke des böhmischen Adels wurden bei den bedeutendsten Goldschmieden der damaligen Zeit in Auftrag gegeben und zählen zu den kostbarsten Kunstwerken liturgischer Geräte in Mitteleuropa. Allen voran die **Diamantenmonstranz,** die aus dem Nachlaß der Ludmilla Eva Franziska von Kolowrat, die alles der Madonna von Loreto vermacht hatte, stammt.Sie wurde 1699 von Baptist Känischbauer und Matthias Stegner aus Wien geschaffen. Wie eine funkelnde Sonne schickt die mit 6222 Diamanten besetzte Monstranz ihre Strahlen aus. Fast 90 Zentimeter ist sie hoch und zwölf Kilogramm schwer. Auch die anderen Monstranzen sind Geschenke des böhmischen Adels – der Lobkowitz, der Waldstein und der Gräfin Nostitz. Die direkt daneben liegende Gaststätte U Loretý ist das schöne Beispiel eines Prager Gartenrestaurants.

Palais Czernin: Verläßt man Loreto und steigt zum Platz hinauf, wird man mit der wahrhaft donnernden Fassade des **Czernin-Palais** konfrontiert, einem unglaublichen Gegenpol zu dem von hier fast geduckt erscheinenden, leichten Bau um die Casa Santa. 29 Halbsäulen reihen sich aneinander und bestimmen durch ihre Höhe über zwei Stockwerke die 150 Meter lange Palastfront. 1666 hatte der Bauherr Humprecht Johann Graf Czernin das Gelände gekauft und sofort mit dem Bau unter Leitung von Francesco Caratti begonnen. 1673 kam Kaiser Leopold I. nach Prag und verlangte den Bau zu sehen, von dem man im fernen Wien sprach. Tatsächlich schien der Graf, bei der letzten Standeserhöhung übergangen, aus Trotz eine eigene Residenz errich-

Fenstergalerie in Nový Svět.

ten zu wollen. Der Kaiser jedenfalls war ungnädig, als der Graf meinte, das sei doch nur eine große Scheune und er wolle die vorläufigen Holztüren nicht lassen, sondern durch eherne ersetzen. „Für eine Scheune sind diese Türen von Holz gut genug", soll der Kaiser erwidert haben.

Die Czernin waren eine alte böhmische Familie, immer wieder hatten sich ihre Mitglieder im Dienst für die böhmische Krone hervorgetan. Das Haus in Prag sollte ein „Monumentum Czernin" werden, aber das Schicksal war dem Bau nicht hold. Über mehrere Generationen sollte daran gebaut werden, bis letztlich der finanzielle Zusammenbruch das Projekt stoppte. Es wurde während der Belagerungen und Kriege zerstört, 1779 sollte das schwer mitgenommene Gebäude verkauft werden, es fand sich aber kein Käufer. In den napoleonischen Kriegen wurde ein Lazarett eingerichtet, 1851 kaufte der Staat Teile auf und baute sie zu einer Kaserne um. Erst 1929 ließ die junge tschechoslowakische Republik den Palast als Außenministerium sanieren. In seinem Innenhof fand man 1945 Jan Masaryk, den damaligen Außenminister, tot auf. In den Arkadengängen gegenüber dem Palais Czernin findet sich auch anderes: Wer dunkles Bier liebt, findet im schwarzen Öchslein, *U Černého vola*, das süffige *Velkopopovický kozel 12°*.

Nový Svět: Unterhalb der Czerninschen Gärten verläuft eine Gasse, die zur alten Burgvorstadt gehört. Inmitten dieses früheren Arme-Leute-Quartiers zieht es heute Künstler und Intellektuelle in die **Neue Welt,** *Nový Svět*. Und durch das eine oder andere Fenster kann man in ein Atelier oder eine kleine Ausstellung blicken. Die Häuschen haben alle Namen, manche ein Hauszeichen und fast alle das Beiwort „Golden". Etwas typisch Pragerisches also, und so heißen die Häuser „Zum goldenen Bein" usw. In der **Goldenen Birne,** *u zlaté hrušky*, findet sich auch eine romantische Weinstube.

Oldtimer in Nový Svět.

167

DER KÖNIGSWEG

Die letzte Krönung in Prag fand am 7. September 1836 statt. Ferdinand V., der österreichische Kaiser, wurde der letzte gekrönte König Böhmens. Ferdinand V. hatte 1848 zu Gunsten seines Neffen Franz Joseph abgedankt, der sich aber nicht krönen ließ, und auch Kaiser Karl, der 1916-18 regierte, wurde zwar feierlich zum König von Ungarn gekrönt – und das mitten im Ersten Weltkrieg –, aber eben nicht in Prag. Man hat es den in Wien residierenden Habsburgern übelgenommen, waren doch alle, als die Residenz von Prag nach Wien verlegt worden war, zu diesem feierlichen und wichtigen Staatsakt gekommen. Und alle hatten diesen Weg genommen, der zu Recht Königsweg genannt wird: **Pulverturm, Zeltnergasse** (Celetná), **Karlsgasse** (Karlova), **Karlsbrücke, Spornergasse** (Nerudova) und die Überquerung der beiden großen Plätze, des **Altstädter** und **Kleinseitener Ringes** – dieser Weg heißt jetzt auch in der offiziellen Denkmalspflege **Königsweg.**

Heute kann man sich hier nur noch schwer eine Vorstellung machen von durchfahrenden vier- oder sechsspännigen Kutschen, von Reitern und Läufern. Denn nachdem der moderne Verkehr lange Zeit die Bausubstanz an diesem Weg erschüttert und beschädigt hat, ist heute durch die Einrichtung einer Fußgängerzone ein völlig neues Bild dieses Weges entstanden. Es wird bestimmt von Geschäften und Restaurants, von Touristen und flanierenden Prager Familien. Wie war das früher? Was sahen die schaulustigen Prager in den engen Gassen des Prager Königsweges?

Krönungszug der Königin: Man kann heute Schritt für Schritt einen dieser Züge begleiten und so erfahren, wo die jeweiligen Begrüßungen stattfanden, wann der lange Zug zum Halten kam, wo die begeisterte Menge sich einfand. „...zu beiden Seiten mit vielen tausend Leuten beyderley Geschlechts, alles in vollen Freuden angefüllet, welche continuilicher Ausruffung ,Vivat Maria Theresia, Unsere Allergnädigste Königin!' ihre Freude bezeigten." Am 29. April 1743, wegen „einfallenden rauhen und windigen Wetters", mußte die Königin in einer geschlossenen Chaise fahren, die von sechs schwarzbraunen Neapolitanern, kräftigen schönen Pferden, gezogen wurde. Links von Maria Theresia saß ihr Gemahl Franz von Lothringen. „Zu beyden Seiten dieses königlichen Leibwagens aber giengen die königlichen Läufer, Heyducken, Sessel-Träger und Leib-Laquayen in der neuen Liverey."

Damals gab es noch das Roßtor am Ende des Roßmarktes, dem heutigen **Wenzelsplatz.** Vor diesem war ein großes Zelt aufgespannt, in das sich die Königin nochmals kurz zurückgezogen hatte. Inzwischen formierte sich der Zug, der aus 22 Gruppen bestand. Alles war zu Pferde, in neuen Uniformen, die Damen in prunkvollen Karossen, be-

gleitet von Musikkapellen. Beim **Pulverturm** erreichte der Zug nach Durchquerung der Neustadt in weitem Bogen – Karlsplatz, Am Graben – die Altstadt. Von hier ging es durch die **Zeltnergasse,** vorbei an dem einst vornehmsten Hotel der Prager Altstadt, dem „Goldenen Engel", und der Teynkirche mit dem dahinterliegenden Teynhof, dem Hospiz für durchfahrende Kaufleute.

Am Altstädter Ring: Hier stand, wenn der königliche Zug eintraf, vor der Teynkirche die Abordnung der Alma Mater Pragensis aller vier Fakultäten, und in wohlgesetzter Rede wurde der Fürst oder die Fürstin begrüßt – lateinisch natürlich. Auf dem Altstädter Ring stand damals auch noch nicht das Jan-Hus-Denkmal, sondern eine Mariensäule, ähnlich jener in München.

Nachdem der Altstädter Ring und die damit verbundenen Zeremonien abgeschlossen waren, passierte der Zug die prächtigen, mehrstöckigen Häuser, die zum Kleinen Ring führen, und tauchte dann in die enge Jesuiten-,

heute die **Karlsgasse** ein, die in einigen Windungen in den Kreuzherrnplatz mündet. Das letzte Drittel führte vorbei an der Mauer des Klementinums, der Wälschen Kapelle und der Salvatorkirche. Der Weg steigt leicht an, der Blick weitet sich und das Ziel der Fahrt liegt in seiner ganzen Pracht vor den Augen des künftigen Herrschers. Vom Triumphtor des Weges, dem **Altstädter Brückenturm,** blickt sein Erbauer Kaiser Karl IV. auf diesen Zug herab, Karl IV. mit der Reichskrone und dem Adlerschild zur Seite, neben ihm sein Sohn Wenzel IV. mit der Krone seines heiligen Patrons und den Reichsinsignien in der Hand. Dazwischen, auf einer Art Modell der Brücke stehend, der heilige St. Veit, der Patron der Kathedrale. Die gleichsam zur Begrüßung aufgereihten Wappenschilde zeigen an, über welche Länder der König von Böhmen herrschte.

Karlsbrücke und Kleinseite: Die **Karlsbrücke** war nicht immer eine Allee von Heiligenfiguren, die be-

Stammbaum Karls IV. in der Burg Karlstein.

172

schwörend auf den Dahinschreitenden einreden. Über die **Karlsbrücke** zog der Krönungszug hinüber zur Kleinseite, diesem von der engen Altstadt so unterschiedlichen Teil Prags, ehe er zwischen den Kleinseitener Brückentürmen in die **Brückengasse** einmündete.

Die Gasse ist kurz und breit, und über ihr schwebt, hoch über allem, die Kuppel der Niklaskirche. Der Zug führte an der Südseite der Niklaskirche entlang, einem Symbol der Prager Kleinseite und des Prager Barock. Hier setzte nun der letzte Teil des Weges an, die steile **Spornergasse** *(Nerudova)*, die alle Aufmerksamkeit der Kutscher und Reiter verlangte. So galt es vor allem auch die große Schleife zum Hradschinplatz hinauf sauber anzufahren und die Pferde in gleichmäßigem Tempo zu halten.

Es ging vorbei an den vielen Häusern mit ihren reizvollen Hausnamen, den „drei Geigen" oder den „zwei Sonnen", die weithin sichtbar über den Toren prangen. Aber in diesem seit fast

tausend Jahren bebauten Straßenzug haben sich auch zwei Palais eingezwängt. Die Familie Morzin gab dem berühmten Baumeister Santini 1715 den Auftrag für ein Palais (Nr. 5). Zwei Mohren aus dem Familienwappen tragen den Balkon der Morzini, die im Dreißigjährigen Krieg von Friaul nach Prag kamen. Schräg gegenüber und fünf Jahre später wird wieder ein großer Bauauftrag erteilt, diesmal von der Familie Kolowrat; ihr Bildhauer Matthias Braun schlägt ebenfalls eine heraldische Lösung vor, die mit mächtigen Adlerwappen mit weit vorgestreckten Flügeln und Köpfen das Portal bewachen läßt.

Von hier sind es nur noch wenige Schritte, die steil ansteigende Kurve am Ende der Spornergasse, und der Krönungszug hat den **Hradschin** erreicht. Hier fand die Erbhuldigung statt, die in gewisser Weise die damalige Wahl widerspiegelte, die Vorstellung des Kandidaten, der schon seit langem durch die Erbgesetze feststand.

Die letzte Kurve vor der Prager Burg.

VON KAFFEEHÄU-
SERN UND KNEIPEN

Das „Kaffeehaus", jene große Prager Institution vor und zwischen den Weltkriegen, gibt es nicht mehr. Es war ein Ort mit den neuesten Journalen, mit Obern, die eher Vertraute und Freunde waren als Kellner, mit den „großen" Damen der damaligen Gesellschaft und dem Flair der Künstler und Journalisten. Es gab große und pompöse Kaffeehäuser im Stadtzentrum; die Ober ließen sich hier, zumindest berichtet es so der Schriftsteller Jaroslav Seifert, zweimal am Tag rasieren. Jedes Kaffeehaus hatte „sein" Publikum, das **Slavia** die Schauspieler, das **Café Arco** Kafka, Kisch und die ganzen „Arconauten"; hier trafen sich die Liebespaare, um Händchen zu halten, dort die Halbwelt. Der Kaffee war – und daran hat sich bis heute nichts geändert – stadtbekannt schlecht, und es war mehr ein Eintrittsgeld als die Bezahlung, wenn man dafür zwei Kronen hinlegte. Im Winter kam man, um sich aufzuwärmen oder die Heizkosten zu sparen, „im Sommer für den dichten Qualm" (Seifert). Und wieviel Zeit so mancher in diesen Kaffeehäusern vertrödelt oder verlebt hat – man mag es lieber nicht wissen.

Aber wenn auch der große Glanz längst vergangener Zeiten hier nicht mehr zu finden ist, das Bohème-Leben vorbei zu sein scheint – einen Besuch sind die Prager Kaffeehäuser immer noch wert. Und das nicht nur wegen dem inzwischen nostalgisch anmutenden Interieur, den Jugendstil-Einrichtungen wie etwa im **Evropa** oder dem **Repräsentationshaus.**

Das letzte große und wichtigste Kaffeehaus in Prag ist und bleibt das **Slavia.** Nirgendwo sonst wie im Slavia findet sich solch ein Querschnitt sämtlicher Prager Kaffeehausgänger. Immer noch kommen ins Slavia, wenn auch nicht mehr so regelmäßig, die Schauspieler, Künstler und Sänger aus der gegenüberliegenden Oper und dem Theater. Und

da kann es schon einmal passieren, daß eine leicht angegraute Primadonna Hof hält vor ihren Freundinnen. Und der ewige, zeitlose Künstlertypus, stark rauchend, mit Baskenmütze und Manuskript – auch er sitzt noch im Slavia. Und mit ein bißchen Glück läßt er Sie den Wein bezahlen und erzählt dafür Interna aus dem Prager literarischen Leben. Im Slavia finden sich aber auch die alten Damen, Witwen ehemaliger Fabrikanten aus der ersten, der „goldenen Republik". Damen, die einmal in den besten Prager Villen gewohnt haben und heute mit einer Rente von 1000 Kronen leben. Sie können nicht mehr mit der Mode gehen, und so bleiben sie in dem, was sie einst gehabt haben. Aber sie sind selten geworden im Slavia, und eine Begegnung mit einer solchen Dame ist durchaus ein Erlebnis.

Es kommen aber auch junge Leute vom naheliegenden Konservatorium, die zwischen zwei Vorlesungen einen Kaffee trinken oder Freunde treffen wollen. Und abends ist es ein Treff-

Vorhergehende Seiten und links: im Café Slavia. Rechts: im Sommer ein beliebtes Ziel – U Flekŭ.

punkt für die „Yuppies" – wenn es so etwas in Prag gäbe – gut gekleidet mit Frisuren à la David Bowie und Benetton aus dem Tuzex-Laden. Daneben, im gewohnten Schwarz, die gegenläufige Richtung: Punks mit farbigen Haarsträhnen und schweren Armeestiefeln.

Die Ober rasieren sich zwar nicht mehr zweimal am Tag, dafür aber haben sie nichts vom Stolz ihres Berufsstandes verloren. Auf ein „Herr Ober" – vor allem im sächsischen Dialekt gesprochen – reagieren sie nicht. Schon mancher Kunde aus dem benachbarten sozialistischen Bruderland hat lange warten müssen, bis er bestellen konnte.

Das Kaffeehaus-Flair findet man nicht in den Tagen der Hauptreisezeit, wenn nicht enden wollende Touristenströme den Wenzelsplatz bevölkern. Ins **Evropa,** in dem sich bei samstäglicher Kaffeehausmusik junge Männer treffen oder ein stadtbekannter, schon sehr betagter Transvestit von besseren Zeiten erzählt, sollte man nur im Winter gehen. Dann hat es nichts von seinem Charme verloren – vielleicht hat es gar neue Reize gewonnen. Die wenigen traditionellen Kaffeehäuser jedenfalls sind und werden es hoffentlich noch lange bleiben: eine Prager Institution.

Kneipen und Bier: Viele Prager können Geschichten erzählen von Großvätern, die 20 oder 30 Krüge Bier am Tag getrunken haben, in der Wirtschaft Karten spielten und nicht einmal zum Pinkeln aufgestanden sind. Aber so etwas ist natürlich übertrieben. Was aber bleibt, ist die „Liebe zum Bier". Gut, Čedok bietet „Prager Bierpartys" an – organisierte Gemütlichkeit im Interhotel. Das hat nichts mit Prager Kneipenleben zu tun. Ein Beis'l oder eine Kneipe braucht nicht sauber zu sein, sie muß nur das richtige Bier haben, Smichover oder Pilsener, jedem das seine. Und es muß frisch sein, der Schaum darf nicht sofort zusammenfallen, und die Zapfleitung muß immer wieder gereinigt werden. Es heißt, daß man im Automatenrestaurant **Koruna** am Wenzelsplatz besseres Bier bekommt als in

Wirtshausschlägerei, gemalt von Josef Lada.

mancher Traditionsgaststätte. Wo zapft man ein besonders gutes Bier? Eins der besten ist immer noch das **Schwarze Öchslein** in Loreto droben. Da finden sich auch noch viele Prager Originale, dickbäuchig und mit lautem Organ, die ihr Bier so schnell trinken, daß ein Fremder kaum mithalten kann. Oder man probiert einfach mal eine der Kneipen um die Ecke, die meist gerammelt voll sind. Wie wär's mit dem Biergarten im *Riegrovy sady,* in dem im Sommer am Wochenende eine Kapelle aufspielt und aus den umliegenden Straßenzügen die Leute kommen, um ein Tänzchen zu wagen? Versäumen darf man natürlich auch nicht den **Kelch** mit seinen Erinnerungen an Schwejk oder das **U Fleků** mit seinem Biergarten.

Ein guter Ort ist auch der **Goldene Tiger,** in dem man mit etwas Glück einen der bekanntesten tschechischen Schriftsteller findet – sofern man ihn erkennt. Man geht einfach hinein, setzt sich dazu, und das Schlimmste, was einem passieren kann, ist, daß der Nachbar meint „No, spricht er nicht einmal tschechisch!"

Kleinseitener Weinstuben: Die Kleinseitener Weinstuben waren einmal schlichte Orte, wo man sich traf, etwas essen konnte – eine Kleinigkeit – und wo man bei gutem Wein bis spät in die Nacht zusammensaß. Aber auch daran hat sich inzwischen einiges geändert. Weinstuben sind heute oft sehr vornehme und feine Restaurants, mit einer wahren Pracht an weißen Servietten und gestärkten Tischtüchern. Nur wenigen ist der Umbau in ein aufgedonnertes Touristenlokal gut bekommen. Aber will man nicht großartig essen gehen – z.B. in der **Lobkowitzer Weinstube** –, sondern einfach ein Gläschen trinken, dann gibt es ja auch noch in der *Maiselova* **U Golema** und **U Rudolfa II.,** oder in der *Melantrichova* die „Goldene Kanne", **U zlaté konvice.** Die berühmteste und beliebteste Weinstube auf der Kleinseite bleibt immer noch der „Mäzen", **U mecenáše,** drüben am Kleinseitener Ring.

NICHT NUR FRANZ KAFKA UND SCHWEJK

Die „Goldene Stadt" an der Moldau bot immer auch einen goldenen Boden für die Dichtersprache. Zu Beginn des 20. Jahrhunderts wurden Deutsch und Tschechisch in Prag gleichrangig und brachten je eine literarische Weltberühmtheit hervor: **Franz Kafka** mit *Josef K.* und **Jaroslav Hašek** mit dem *braven Soldaten Schwejk.*

Damals, markiert durch Jahrhundertwende und Ersten Weltkrieg, durch literarischen Anarchismus und Avantgarde, bildete sich jenes Prager Literatenleben heraus, das, mit einem Schuß Bohème versehen, in den zwanziger und dreißiger Jahren kulminierte und sogar mit Paris konkurrierte.

„In einem gewissen Sinn unkontrollierbar" – dieses Kafka-Wort über eine überraschende Liebe mag auf ein Phänomen verweisen: Tschechisch schreibende Autoren haben kaum je Düsteres, Geheimnisvolles entdeckt, wenn sie die große Moldaustadt liebend beschrieben; deutsch schreibende Autoren hingegen neigten dazu, in ihr Prag Geheimnisse hineinzudenken und sich eher tragischen Themen zuzuwenden. Darüber befragt, sagte der als deutscher Jude geborene Norbert Fried, nach einem „unselig-seligen" Theresienstadt-Auschwitz-Dachau-Schicksal als **Nora Fryd** in die tschechische Literatur eingegangen:

„Aus der wechselnden Geschichte Prags haben die deutschsprachigen Autoren, ob Nichtjuden oder Juden, häufig die dunklen Geschehnisse thematisiert und gespaltene Persönlichkeiten hypostasiert; sie haben sich, ob Juden oder Nichtjuden, der Golem-Sage und anderen Legenden vor und nach Rabbi Löw hingegeben oder dem geheimnisumwitterten Raritätenkabinett Rudolfs II.; und die Juden haben in den zwanziger Jahren wahrscheinlich schon ihr grausames Los von 1938 gespürt und die deutschsprachigen Nichtjuden haben wahrscheinlich ihr schlimmes Los von 1945 geahnt. Die tsche-

chisch schreibenden Nichtjuden und Juden dagegen sahen in Prag am liebsten nur das Goldene und die Matička (Mütterchen)." Von Franz Kafka ist der Ausruf überliefert: „Mütterchen hat Krallen...!"

Es gab in Prag mehrere Cafés und Kneipen, in denen sich gelegentlich und vorübergehend die tschechischen, prager-deutschen, deutsch- oder tschechisch-jüdischen bzw. sudetendeutschen Autoren trafen.

Aber schon über das dafür berühmte Café Arco schrieb **Max Brod:** „Was über das Café Arco gefabelt wird, ist unwahr oder doch stark übertrieben. Erst Werfel und die Seinen machten das (neue) Café Arco zu ihrem Stammlokal." Nun, dieses Kaffeehaus gibt es nicht mehr; es gibt kein einziges Lokal von damals mehr, in dem Getränke und Gespräche gemeinsam zu Katalysatoren für die formale Bewältigung zeitgegebener Inhalte geworden sind.

Besser als die Suche nach gastronomischen Kristallisationspunkten für das wortkünstlerische Produkt aus Prag ist gewiß das Auf-sich-wirken-Lassen der ganzen Stadt,

**Links: Porträt des braven Soldaten Schwejk.
Oben: Franz Kafka und Felice Bauer.**

ja Stadtlandschaft. So ist auch die Dichterschule des **Prager Kreises** entstanden, die, wie Max Brod versicherte, keinen Lehrer und kein Programm hatte; der Spiritus rector ergänzte: „Es sei denn, daß man Prag selber, die Stadt, ihre Menschen, ihre Geschichte, ihre schöne nahe und ferne Umgebung, die Wälder und Dörfer, die wir eifrig in Fußmärschen durchwanderten, als unseren Lehrer und unser Programm ansehen will." Zweifellos aus solcher Schulung in Offenheit und Toleranz war es Max Brod möglich, sich für den Tschechen Hašek ebenso einzusetzen wie für den Freund Kafka. Bekanntlich gäbe es Kafka als Klassiker der Moderne heute

„brave Soldat" des Ersten Weltkrieges von der lesenden tschechischen Intelligenz abgelehnt, als wenig moralisch, unsittlich und dem nationalen Selbstbildnis des Tschechentums abträglich empfunden. Brod aber schickte eine Dramatisierung nach Berlin zu **Erwin Piscator,** bei dem **Bert Brecht** als Dramaturg arbeitete; und zum Bühnenerfolg kam die erfolgreiche Übersetzung ins Deutsche von **Grete Reiner.** Sie bediente sich eines in Prag heimischen Idioms, des Kleinseitner Deutsch, und übertrug die tschechische Satire auf originellste Art ins Deutsche; über die deutschsprachige Fassung fand Hašek den Weg in die weite literarische

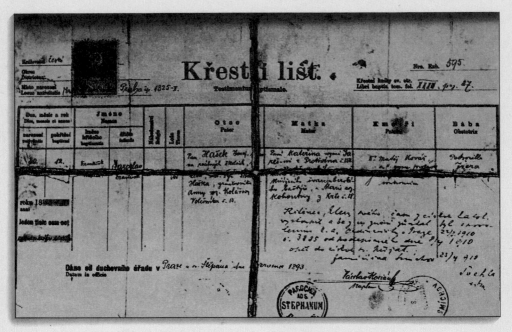

nicht, hätte Brod nicht durch Rettung und Ordnung der Kafka-Manuskripte, gegen den ausdrücklichen Wunsch des Autors, dessen bedeutendes und bleibendes Oeuvre aus Prag der geistigen Welt erhalten und nach dessen frühem Tod herausgegeben. Ähnliches gelang ihm mit Hašek – nämlich ihn zum Klassiker der tschechischen Moderne zu machen, indem er dessen Romanfresko *Schwejk* über den deutschen Literatur- bzw. Theatermarkt nachdrücklich der Weltliteratur empfahl.

Was heute unglaublich klingt – damals, in den zwanziger Jahren, wurde der zunächst in Heftform erscheinende tschechische

Welt. Man amüsierte sich global über den schlauen Hundehändler, der sich aus der „historischen Situation" des Ersten Weltkrieges „durch idiotische Unsinnigkeit und clownische Maske befreite" (Radko Pytlík).

Allerdings sind die Tschechen nicht mehr einhellig glücklich über diesen nationalen Bucherfolg, führte er doch zu dem internationalen Vorurteil, jeder Tscheche sei ein Schwejk, oder zumindest: In jedem Tschechen steckt ein Stück Schwejk.

Jaroslav Hašek war ein Bohèmien par excellence, ebenso überlegt wie nachlassend innerhalb einer Stunde, ebenso zielbewußt denkend wie eigene Zielsetzungen jederzeit ändernd innerhalb seines nur vierzigjährigen Lebens. Von anarchistischen Gesten über einen erträumten Romanow auf dem böhmischen Thron bis zur kommunistischen Funktionärsarbeit, von der Gründung einer „Partei des gemäßigten Fortschritts im Rahmen des Gesetzes" bis zur alkoholischen Apathie durchlebte er alles und führte alles in die humorvoll-satirische Meistererzählung ein. Hašek, der literarische Gestalter vergessener und aktueller Volkstypen, schöpfte aus dem Wirtshausmilieu und nahm manchen Satz vom Schanktisch mit. Er machte das Bierlokal *U Kalicha* (Zum Kelch) mit seinem braven Soldaten Schwejk

keit. Gab es auch keinen Montmartre wie in Paris und kein Schwabing wie in München, so erfüllten sie doch die Hauptstadt der ersten tschechoslowakischen Republik mit einem Fluidum, das wir unter den Arkaden und in Torbögen, an Brücken und in Verbindungsstraßen wie zwischen Waldsteinplatz und dem Kleinseitener Ring, vor dem Wenzelsdenkmal und dem Hotel Evropa, damals dem Grandhotel Šroubek, gleichsam noch immer hautnah spüren.

Bei den Tschechen in Praha, wo im 19. Jahrhundert schon ein **Jan Neruda** und eine **Božena Němcová** sich mit den *Kleinseitener Geschichten* und der *Großmutter* in die

unsterblich und hinterließ Prag damit einen ewigen Treffpunkt für Ansässige und Angereiste, die den Geist des Alkohols mit dem Geist der Literatur verbinden wollen.

Doch es gab im Prag der Kunstmoderne nicht nur einen Kafka und einen Hašek, einen Brod und einen Čapek, einen Kisch und einen Nezval. Plejaden von Autoren, deutsch oder tschechisch schreibende, verlebendigten die Moldaustadt durch Text und Erscheinung, durch Buch und Persönlich-

Links: Geburtsurkunde von Jaroslav Hašek im U Kalicha. Oben: Karel Čapek ist im Slavín des Vyšehrad begraben.

deutschen Hausbibliotheken zu schreiben vermochten, entfaltete sich die tschechische Moderne mit **Josef Čapek, Jaroslav Durych, František Halas, Vladimír Holan, Josef Hora, Josef Lada, František Langer, Marie Majerová, Ivan Olbracht, Vitězslav Nezval, Jaroslav Seifert.**

Keine Frage, zwischen den deutsch und den tschechisch schreibenden Autoren gab es im Prag der Zwischenkriegszeit wenig Kontakt. Der unselige Nationalismus des 19. Jahrhunderts war in die 1918 errichtete Tschechoslowakei ungeläutert übergegangen. Natürlich bauten etliche Autoren literarische und politische Brücken. Max Brod wußte noch 1966, allerdings lediglich für die letzten Jahre der ČSR, freundliche Töne anzuschlagen und er rühmte Ausnahmen: „Die Chinesische Mauer wurde durchbrochen. Berührungspunkte gab es ja viele. Es existierte ein ‚Gesellschaftlicher Klub' in einem Palais auf dem ‚Graben' *(Na příkopě)*, der beiden Sprachen offenstand und von der Regierung subventioniert wurde. Ferner besuchten Deutsche die tschechischen Theater und Konzerte und umgekehrt. Es war selbstverständlich, daß über alle kulturellen Ereignisse im tschechischen Leben (Theater, Musik, bildende Kunst, Literatur) in einigen deutschen Blättern (nicht in allen) immer

künstlerischen Werk, die Aufteilung herausgeberischer Schwerpunkte auf relativ wenige Verlage und Zeitschriften, sowie Gründung eines einflußreichen tschechoslowakischen Schriftstellerverbandes. Und es kam zur stadtgeographischen Konzentration: Die Nationalstraße *Národní třída* beherbergte in der Nummer 11 den Schriftstellerverband, in der Nummer 9 den Hauptverlag für tschechische Originalliteratur *Československy spisovatel,* mit **Odeon** den Hauptverlag für fremdländische Literatur und mit **Albatros** den Hauptverlag für Kinder- und Jugendbücher. Wo heute Albatros steht, war früher das Café Union, in dem sich Literaten und

ausführlich berichtet wurde – und umgekehrt genauso." Brod glaubte vor 1938/39 Perspektiven für eine europäische Zusammenarbeit der Kulturen am Horizont zu sehen, als **Max Reinhardt** die *Peripherie* **František Langers** in Berlin inszenierte, mußte jedoch am Ende feststellen: „Leider blieb diese Perspektive nur angedeutet. Der Punkt, an dem die Parallelen zusammenstoßen, wurde nicht erreicht."

In den ausgehenden vierziger Jahren kam es mit der Konsolidierung der ČSR als Volksdemokratie zur Monopolisierung des literarischen Lebens durch die Forderung nach sozialistischem Realismus im wort-

Künstler fast jeder Provenienz trafen – aber es existiert nicht mehr. Albatros findet am leichtesten, wer in der Nationalstraße die Leuchtreklamen beachtet: NEJLEPŠÍ DĚTEM (Das Beste für die Kinder) meint die Selbstverpflichtung von Autoren, Illustratoren und Lektoren, dem Kinder- und Jugendschrifttum nur gute Bücher zu erschaffen – im Sinne Goethes, auf den diese tschechische Bekenntnisleuchtschrift zurückgeht.

Im Verlag Albatros gingen früher **Josef Lada,** dessen illustrative Darstellung Schwejks in der ganzen Welt angenommen wurde, und **Jiří Trnka** aus und ein, dessen pastellfarbene Kindertümlichkeit zum Exportschlager wurde. Jetzt sind es **Ota Hofman,** dessen *Pan Tau* die Kinderwelt begeistert, und **Otakar Chaloupka,** dessen Theorien zur Kinder- und Jugendliteratur richtungweisend wurden.

Der literarisch interessierte, auf personale Spurensuche und -sicherung bedachte Prag-Besucher dürfte in der Nationalstraße mit hoher Wahrscheinlichkeit dem einen oder anderen Schöpfer tschechischen Schrifttums begegnen. Manche von ihnen sind als solche schon rein äußerlich erkennbar. Das gepflegte Grauhaar leicht abstehend, die Kleidung korrekt und leger zugleich, der Blick weich und die Haltung

sonderbar aufrecht-gebückt. Durch die schmalen Türen in den Nummern 9 und 11 gehen sie ein und aus und eilen zu ihren Haupt-Treffpunkten: dem Lektorenzimmer im Verlag oder dem gastronomisch geführten „Club" im Schriftstellerverband, der leider nur für Mitglieder gastronomisch geführt wird. Dieser „Club" war in der Vorkriegszeit das Café National *(Národní kavárna).* In der Nachkriegszeit verkehrten im Schriftsteller-„Club" noch Nezval, Halas

Im Barocksaal der Bibliothek im Klementinum. Oben: Egon Erwin Kisch, der legendäre „rasende Reporter".

und natürlich Jaroslav Seifert, der Literatur-Nobelpreisträger von 1984. Viele Namen, Namen, Namen wären aus den Jahren um den „Prager Frühling" von 1968 anzuführen, von denen manche nicht mehr „Club"-Berechtigte sind und manche im westlichen Ausland leben oder publizieren.

Die meisten aber sind geblieben, in ihrer Sprachheimat, in ihrem Prag. Manchmal trinken sie Kaffee im Café Slavia, einige Schritte weiter in Richtung Moldau, neben dem Nationaltheater, wo Jaroslav Seifert die „Café-Slavia"-Verse fand:

Durch die Geheimtür vom Moldaukai,
die aus durchsichtigem Glas war,
so daß sie fast unsichtbar blieb,
und deren Angeln
mit Rosenöl geschmiert waren,
kam manchmal Guillaume Apollinaire.
Sein Kopf war verbunden,
noch vom Krieg her.
Er setzte sich zu uns
und las brutal schöne Verse,
die Karel Teige sofort übersetzte.
Zu Ehren des Dichters
tranken wir Absinth.
Der ist grüner
als alles Grün,
und blickten wir vom Tisch durchs Fenster,
floß unter dem Kai die Seine.
Ach ja, die Seine!
Und unweit stand breitbeinig
der Eiffelturm.
Einmal kam Nezval mit steifem Hut.
Wir ahnten damals nicht,
und auch er wußte es nicht,
daß genau den gleichen Apollinaire trug,
als er sich einst verliebte
in die schöne Louise de Coligny-Châtillon,
die er Lou nannte.

Der Schriftsteller-König von heute aber heißt **Bohumil Hrabal,** der literarische Vater der „Bafler", der mit seinem *Onkel Pepin* einen neuen Schwejk zum Leben erweckte und mit jedem Protagonisten, ob typisch tschechisch oder nicht, weiter in die Weltliteratur vordringt. „König" Hrabal hält heute Hof, demokratisch, in der Schankwirtschaft „Zlatý tygr" (Goldener Tiger), nicht weit von der Nationalstraße entfernt, und ist für jedermann ansprechbar.

Böhmen blickt auf eine reiche Musikvergangenheit zurück, die Prag den Ruf einer „musikalischen Metropole" einbrachte. Ihre besondere Stellung verdankt aber die Stadt das „musikalische Herz Europas", wie es einmal David Oistrach ausdrückte – nicht nur den „großen Namen", die schließlich vielen anderen Städten Glanz verleihen. Die Bedeutung, die Prag durch diese und ähnliche Äußerungen eingeräumt wird, gründet vielmehr in einer langen und kontinuierlichen Tradition der Musikpflege.

Böhmische Musikanten: Die große Blüte des einheimischen Musikantentums, auch als „böhmischer Klassizismus" bezeichnet, brachte das 18. Jahrhundert. Der Spruch: „Wer ein Böhme ist, ist ein Musikant" – hat in dieser Zeit seine Wurzeln. Der Ruf der sprichwörtlichen Musikalität des Volkes ist im wesentlichen einer flächendeckenden Musikförderung zuzuschreiben. Wie man Berichten aus dieser Zeit entnehmen kann, waren damals die meisten Kantoren (Schullehrer) musikalisch gebildet und sorgten dafür, daß beinahe jeder Schüler ein Instrument spielen, zumindest aber singen konnte. In der *Allgemeinen musikalischen Zeitung* von 1800 liest man: „Eine große Anzahl dieser Kantoren waren wirklich gründliche und talentvolle Tonkünstler; denn sie waren größtenteils ehedem Vokalisten in Prag und erlernten da die Tonkunst. Die ungemeine Menge geschickter böhmischer Musiker, von welcher man sich nicht besser überzeugt, als wenn man die Register der europäischen Hofkapellen durchsieht, erklärt sich daraus, daß der hohe Adel sonst von jedem seiner Diener – vom Haushofmeister bis zum Stallknecht – verlangte, daß er Musik triebe und irgendein Instrument richtig spielte." Musikalische Begabung und Bildung bedeuteten damals auch existentielle Vorteile. Die Stellung eines Dieners befreite von Fron- und Militärdienst, und wer sich als guter Musiker erwies, hatte sogar die Hoffnung, mit der Zeit aus der Untertänigkeit entlassen zu werden. Als der englische Musikschriftsteller Charles Bumey 1772 Böhmen bereiste, war er so überrascht vom Niveau der musikalischen Kultur in diesem Land, daß er es als das „Konservatorium Europas" bezeichnete. Neben vielen Volksmusikanten brachte das fruchtbare Klima eine Uberzahl von ausgebildeten Musikern hervor, die in ihrer eigenen Heimat aber nur schwer Lebensunterhalt fanden. Die unsteten politischen Verhältnisse und die religiöse Verfolgung im Böhmen des 18. Jahrhunderts zwangen viele Menschen zur Emigration. Mit ihnen sind auch unzählige Musiker ins Ausland gegangen, die aufgrund ihrer Fähigkeiten in ganz Europa Anstellung fanden. Die Emigranten haben sich überall Geltung verschafft, nahmen Einfluß auf den neuen Instrumentalstil des Klassizismus und hinterließen deutliche Spuren in seiner Melodiegestaltung. Umgekehrt wurde die böhmische Musik im Ausland vielfältigen fremden Einflüssen ausgesetzt, die sie wiederum in sich aufnahm.

Mozart in Prag: Vor diesem Hintergrund sind auch die Aufenthalte von Wolfgang Amadeus Mozart zu sehen, der in Prag viele Freunde fand. Mozart versuchte, sich in Wien eine sichere Existenz aufzubauen, stieß aber beim Wiener Publikum und am kaiserlichen Hof meist auf Unverständnis und Desinteresse. In dieser Zeit erreichten ihn Nachrichten aus Prag über die begeisterte Aufnahme seiner Oper *Figaros Hochzeit* und bald darauf eine Einladung, der er Anfang 1787 folgte. In Prag wurde er Zeuge eines *Figaro*-Rausches, in dem sich die Stadt befand. Der Erfolg und die Anerkennung, die seiner Person entgegengebracht wurde, haben ihn für manche Enttäuschung entschädigt. Darüber hinaus brachte der Besuch Mozart einen Opernauftrag ein; es sollte der *Don Giovanni* werden. Auftraggeber war der Impresario des damaligen Nostitzschen Theaters (dem heutigen Tyl-Theater), das im Gegensatz zu all den übrigen Theatern in Mitteleu-

Vorhergehende Seiten: Jeder Böhme ist ein Musikant. Links: Der Komponist Bedřich Smetana.

pa nicht an einen Hof gebunden, sondern eine verhältnismäßig unabhängige Institution war. Die Tatsache, daß in Prag seit langem Opernaufführungen jedermann zugänglich waren, erklärt das Interesse der breiten Öffentlichkeit. Die Premiere im Herbst desselben Jahres war für Mozart ein weiterer großer Erfolg.

Musik und Bürgertum: Seit Anfang des 19. Jahrhunderts verlor die Prager Aristokratie allmählich ihre Vormachtstellung als Träger der Kunst. Das aufsteigende Bürgertum erhob seinen Anspruch auf Gestaltung des Kulturlebens. Der Schwerpunkt des Geschehens verschob sich von den adeligen

Beethovens *Fidelio* und mit den ersten romantischen Opern bekannt. Im gleichen Haus feierte Niccolò Paganini große Erfolge. Im Konvikt, einem Komplex in der *Bartolomějská ul.*, die zur Zeit restauriert wird, wurden Konzerte gegeben, hier trat auch Ludwig van Beethoven auf. Später ist ein Konzertsaal auf der Moldauinsel *Slovanský ostrov* zum Schauplatz der Auftritte von Hector Berlioz, Richard Wagner und Franz Liszt geworden, der auch im *Platýz (Uhelný trh 11)* konzertierte. Der mächtige Strom der vorwiegend deutschen Musik gab den Ton damals an, die heimische Produktion war dabei in den Hintergrund getreten.

Salons in öffentliche Konzertsäle, eine neue Ära brach an. Zwei Institutionen, von denen wichtige Impulse ausgingen, haben sie entscheidend geprägt. Sie veranstalteten Konzerte, die zum wichtigen Bestandteil des Prager Musiklebens wurden. Zum einen war es die Künstlersozietät, die nach Wiener Vorbild 1803 gegründet wurde, zum anderen das Prager Konservatorium, das als erstes in Mitteleuropa 1811 entstand und neue Maßstäbe setzte. Die Stadt, in der noch stark der Mozart-Kult nachwirkte, wurde neuen Einflüssen ausgesetzt. Carl Maria von Weber, der zwischen 1813 und 1816 das Nostitzsche Theater leitete, machte Prag mit

Smetana und Dvořák: Das erwachende tschechische Nationalbewußtsein stellte in der politisch und wirtschaftlich bewegten ersten Hälfte des 19. Jahrhunderts die erste Generation tschechischer Künstler vor die Aufgabe, ihre eigene Kultur zu schaffen, die sich erst in der zweiten Hälfte des Jahrhunderts etablieren konnte. Mit den Werken von Bedřich Smetana, dessen Name mit Prag untrennbar verbunden ist, erreichte die tschechische Musik ihren ersten Höhepunkt. Smetana kam nach Prag, um Musik zu studieren. Während des tschechisch-nationalen Aufstandes im Jahre 1848, an dem er persönlich teilnahm, erwachte seine patriotische

Gesinnung und der Wunsch, höchste künstlerische Ansprüche mit den Forderungen der eigenständigen nationalen Kultur in Einklang zu bringen. Doch der Weg zu diesem Ziel, das er vor allem in seinem Opernschaffen erreichen sollte, war beschwerlich. Abgesehen von einem fünfjährigen Aufenthalt in Göteborg beteiligte sich Smetana intensiv am Prager Musikleben, versuchte sich aber zunächst vergeblich als Dirigent und Komponist durchzusetzen. Erst nach dem Erfolg seiner Oper *Die verkaufte Braut* erlangte er die begehrte Stellung des Kapellmeisters an der Tschechischen Oper und breitere Anerkennung, die aber nicht unumstritten blieb. Nach dem Verlust seines Gehörs mußte Smetana seine Tätigkeit als ausübender Musiker aufgeben, komponierte aber weiter und schuf noch bedeutende Werke, die ihm seine Vorrangstellung in der Geschichte der tschechischen Musik sicherten. Bei der Eröffnung des Nationaltheaters, einem Akt, der einen Höhepunkt der nationalen Bestrebungen symbolisierte, ist Smetana mit der feierlichen Aufführung seiner Oper *Libuše* höchste Anerkennung zuteil geworden. Während in Prag der Kampf um

Smetana tobte, machte ein jüngerer tschechischer Komponist auf sich aufmerksam, der bald über die Grenzen des Landes hinaus bekannt wurde und durch den die tschechische Musik Weltruhm erlangte. Es war Antonín Dvořák, ein Vollblutmusiker, der um seinen unerschöpflichen Einfallsreichtum beneidet wurde und ein echter Sprößling der Musikanten-Tradition war. Als Dirigent, Professor für Komposition am Konservatorium und später als dessen Direktor formte Antonín Dvořák maßgeblich das Prager Musikleben.

Weg in die Moderne: Der starke Strom der nationalen tschechischen Kultur beeinträchtigte aber nicht die Offenheit Prags gegenüber der modernen europäischen Musik. Gustav Mahler, 1885 am Neuen Deutschen Theater (heute Smetana-Theater) als Kapellmeister tätig, brachte in Prag seine 7. Symphonie zur Uraufführung. Dasselbe Theater leitete zwischen 1911-27 Alexander von Zemlinsky, der enge Kontakte zu den Musikzentren Wien und Berlin hatte und als Vermittler auftrat. Auf diese Weise bekamen u. a. Alban Berg und Arnold Schönberg Gelegenheit, sich mit dem Prager Musikleben vertraut zu machen; die Prager Weltpremiere von Schönbergs *Erwartung* war ein Ergebnis dieses regen Austausches.

Links: Büste von Antonín Dvořák. Oben: das ehemalige Nostitzsche Theater.

PRAGER KONZERTLEBEN

Wer in Prag klassische Musik hören will, wird nicht enttäuscht werden. Mehrere Symphonieorchester, zahlreiche Kammermusik-Ensembles, zwei Opernhäuser und viele Solisten sorgen neben Gästen aus dem Ausland für ein reichhaltiges Angebot. Aktuelle Auskünfte geben der *Prager Informationsdienst (Na příkopě 20)* und überall in der Stadt aufgestellte Plakatwände. In den Programmen der stets gut besuchten Konzerte überwiegt das traditionelle Repertoire, außerdem werden oft tschechische Komponisten, ältere wie moderne, berücksichtigt. Die Opernaufführungen stehen etwas im Schatten der instrumentalen Musik, die durchwegs hohen Ansprüchen gerecht wird. Freunden der Kammermusik sind unter anderem die verschiedenen Streichquartette zu empfehlen, die sich durch hohes musikalisches Niveau auszeichnen. In regelmäßigen Konzertreihen treten natürlich auch die in Prag beheimateten Musiker auf, die internationale Anerkennung erlangt haben. Dazu gehört ohne Zweifel auch die Tschechische Philharmonie.

Musikveranstaltungen führen den Besucher von Prag immer auch zu interessanten Orten. Auf diese Weise bietet sich ihm eine ausgezeichnete Möglichkeit, manche Sehenswürdigkeiten ganz anders zu erleben, Interieurs zu besichtigen und an Stellen zu verweilen, die zu den sehenswertesten gehören; dies sind neben den großen Konzertsälen und Opernhäusern vor allem Kirchen, Paläste und Palastgärten. Die Wirkung der kühnen Architektur des St.-Veits-Doms zum Beispiel wird von den Darbietungen eines großen Orchesters mit Chor gesteigert, und die polyphonen Gesänge des Mittelalters erwecken die romanische St.-Georgs-Basilika zu neuem Leben. Der karge, unpersönliche Innenraum der Bethlehemskapelle verliert plötzlich seinen musealen Charakter, wenn er zum Konzertsaal wird, und die barocke Pracht der St. Jakobskirche in der Altstadt entfaltet sich erst richtig bei den Orgelkonzerten, die regelmäßig Dienstag nachmittags stattfinden. Für Musikveranstaltungen öffnen sich sonst unzugängliche historische Räume wie zum Beispiel die des neu restaurierten Palais Martinitz am Hradschiner Platz, der Rittersaal des Palais Waldstein, die Spiegelkapelle des Klementinums und andere. Musik lockt auf die Insel *Slovanský ostrov*, in die Reitschule auf der Burg, in das Areal des Agnes-Klosters oder in das Lustschloß Stern *(Letohrádek Hvězda* – am westlichen Stadtrand). Im Sommer kommen die Freiluftkonzerte hinzu, im Garten des Palais Waldstein, im Maltesergarten beim Musikinstrumentenmuseum auf der Kleinseite oder in den Palastgärten unter der Burg. In dem barocken Lustschloß Villa Amerika, dem Dvořák-Museum, kann man, umgeben von Erinnerungen an den Komponisten, Musik hören, genauso wie in der Villa Bertramka und ihrem Garten, wo W. A. Mozart seine Opern *Don Giovanni* und *Titus* vollendete. Mozarts Prager Wirkungsstätte, das alte Nostitzsche, heute das Tyl-Theater, wird nach seiner Restaurierung demnächst wieder in Betrieb genommen. Im „Theater der Musik – Lyra Pragensis" *(Opletalova ul.5)* finden Veranstaltungen statt, in denen Themen aus den unterschiedlichsten Musikbereichen anhand von Ton- und Filmaufnahmen dem Publikum nähergebracht werden.

Einmal im Jahr werden die Plakatwände in ganz Prag von einem weißen -f- auf blauem Grund beherrscht. Das Zeichen, dem Schalloch einer Violine ähnlich, kündigt den „Prager Frühling" an. In diesem Festival, das auf eine über vierzigjährige Tradition zurückblickt, kulminiert das Prager Musikleben. Mit der symphonischen Dichtung *Mein Vaterland* von Bedřich Smetana wird regelmäßig am 12. Mai, dem Todestag des großen tschechischen Komponisten, ein kulturelles Ereignis eröffnet, das seinen festen Platz im internationalen Festspielkalender eingenommen hat.

Mozart im Haufe Dus,

TSCHECHOSLOWA-KISCHES TENNIS

Seit ihren Erfolgen in den letzten zwanzig Jahren wird die tschechoslowakische Tennisschule in der ganzen Welt anerkannt. Aber nur Experten und wirkliche Tennisfans wissen, daß die Wurzeln des tschechoslowakischen Tennis tiefer liegen und aus dem 19. Jahrhundert stammen; mit derselben Tradition und demselben Alter wie z. B. in Großbritannien. Der älteste Club ist der ČLTK, 1893 gegründet, der auch zwischen 1894-1906 Mitglied in der *U.K. Tennis Association* war. Bekannteste Spieler waren in früheren Zeiten K. Koželuh, Profiweltmeister 1929, 1932, 1937, oder J. Drobny, der 1954 das Wimbledonfinale gewann und 1952 und 1949 im Endspiel stand. Es ist aber auch V. Suková, Mutter von H. Suková, zu nennen, die im Endspiel der Damen in Wimbledon stand, oder Wimbledonsieger Jan Kodeš. Namen wie Martina Navrátilová, Ivan Lendl und Miloslav Mečíř sind aus dem heutigen Tennis nicht mehr wegzudenken.

Tennis wurde in der Tschechoslowakei besonders nach dem Wimbledonsieg von Jan Kodeš im Einzel 1973 sehr populär. Die Jugend wurde angespornt, es wurden Turniere unter dem Motto „Wir suchen nach neuen Kodeš' und Sukovás" veranstaltet, an denen über 15.000 Jugendliche im Alter von 9-15 Jahren teilnahmen.

Heute hat die Zahl der organisierten Spieler die 60.000 erreicht, und es sind vielleicht noch einmal 60.000, die nur zu ihrem Vergnügen spielen. In der ČSSR gibt es 810 Clubs mit 3500 Plätzen. Besondere Trainingsmethoden, die langfristige Begleitung junger Spieler und der hohe Standard tschechoslowakischer Trainer haben die ČSSR heute zu einer bedeutenden Tennisnation gemacht. Die Tschechoslowakei hat ihr eigenes System der Langzeitbetreuung von Jugendlichen, die bereits im Alter von sieben Jahren beginnt und die besonders begabten Spieler zwischen 16 und 17 Jahren in spezielle Sportschulen führt.

Um den Erfolg der tschechoslowakischen Tennisschule zu verdeutlichen, sollen ein paar Gedanken zu den bedeutendsten Spielern festgehalten werden. **Martina Navrátilová** wurde am 18. 10. 1956 in Prag geboren und wuchs in Řevnice, einem kleinen Ort unweit von Prag auf. Ihr Stiefvater war ihr erster Trainer. Sie startete ihre Karriere 1972 als Jugendmeisterin, stand 1973 im Endspiel der Junioren in Wimbledon. 1975 verließ sie die ČSSR und wurde amerikanische Staatsbürgerin. M. Navrátilová hat achtmal in Wimbledon und als dritte Frau den "Grand Slam" gewonnen. 1984 gewann sie 74 Spiele hintereinander und unterlag im 75. der Tschechoslowakin Helena Suková.

Ivan Lendl beweist, daß nicht nur Prag gute Spieler hervorgebracht hat. Er wurde am 7. 3. 1960 in Ostrava in Nordmähren geboren und war in den siebziger Jahren der berühmteste Spieler in der ČSSR. Für seine Siege bei den Junioren in Rom, Paris und Wimbledon erhielt er 1978 den Titel des "world junior tennis champion". Lendls Tennisbegabung kommt von seinen Eltern. Seine Mutter war eine erfolgreiche Tennisspielerin, die im Doppel 1964 und 1969 tschechische Meisterin wurde. J. Connors meinte einmal, Lendl sehe aus wie ein „half-boiled chicken", ein nur halb gargekochtes Hühnchen. Lendls Antwort war einfach: Er schlug Connors in Flushing Meadows und ließ ihm ein halbfertig gekochtes Hühnchen aufs Zimmer schicken. Sein großer Traum, ein Sieg in Wimbledon, blieb Lendl bislang verwehrt.

Jan Kodeš wurde am 1. 3. 1946 in Prag geboren. 1964 war er Jugendmeister der ČSSR; 1973 siegte er in Wimbledon. 1980 gewann er mit der Mannschaft der ČSSR den Daviscup. 11 Jahre war er die Nr. 1 des tschechoslowakischen Tennis. Kodeš, der viel für die Entwicklung des Tennis in der ČSSR getan hat, ist heute Direktor des neuen Tennisstadions in Prag Štvanice.

195

PUNK IN PRAG

Punk in Prag, auch das gibt es. Wenn man auch hier nicht auf eine so ausgeprägte Szene stößt wie in manchen Städten Westeuropas, so trifft man immerhin auf die meisten Strömungen, ob Popper oder Punk. Lange Zeit war die Musik für die meisten Jugendlichen Zufluchtsort, nicht nur in Prag, sondern vielmehr noch auf dem Lande. Den Jugendlichen ging es nicht mehr um politischen Protest oder ideologische Diskussionen. Dem Zwang, bei Jugendorganisationen mitzuwirken, entzog man sich durch eine Flucht in eigene Bereiche, wie etwa die Musik. Skepsis und Rückzug, die Flucht in die eigene private Welt. Nur selten drang Optimismus durch, wie etwa bei einem Lied der Gruppe Laura und die Tiger: „Wir sind die neue Generation, gefesselt durch Konventionen und Programme. Wir suchen den Himmel und finden die Erde, das Leben".

Umso mehr ändert sich seit dem Sturz des stalinistischen Regimes die Musikszene. Bei den Demonstrationen waren plötzlich die Jungen mit vorne dran, wie aus einem Winterschlaf war die Szene erwacht. Heute findet sich zwar immer noch ein bescheidenes Angebot an westlicher Musik in den Plattenläden, aber die eigenen Bands sind stark im Aufwind, und in den Discos tönt es nach den neuesten Charts. In den kleinen Kulturhäusern der einzelnen Stadtviertel werden viele Konzerte veranstaltet, von Heavy Metal bis zur Avantgarde. Und sogar die internationale Créme des Rockbussinnes denkt wieder an Prag: Joan Baez kommt und Frank Zappa wurde sogar vom Präsidenten empfangen. Es dauert nicht lange, bis Prag im Standardprogramm der Europatouren aufgenommen sein wird – zumal ein „Berater" Havels, der 35jährige Rocksänger Michael Kocab, sicher dafür sorgen wird.

Prager Diskotheken: Daß Prag ein Nacht- und Diskoleben hat, wird dem Besucher am Wenzelsplatz deutlich. In den Videodiskotheken laufen die neuesten Clips aus dem Ausland, und wie im goldenen Westen bedarf es hier eines Türstehers, der den Einlaß überwacht. Dabei darf man sich von einer Videodisko nicht allzu viel erwarten. Oft sind es nur ein oder zwei Fernseher, die über der Tanzfläche angebracht sind. „Keine Jeans und Turnschuhe" deuten die Hinweisschilder der **Diskothek Zlatá Husa** an. Eintritt 30 Kčs. Im **Jalta-Club,** ebenfalls am Wenzelsplatz im **Hotel Jalta,** kann man bis in die frühen Morgenstunden rocken – wenn man die 50 Kčs Eintritt bezahlt hat und in Kauf nimmt, sich in der teuersten Preiskategorie zu bewegen. (1. Preisstufe plus 30%). Das Ganze ist aber nur ein Treffpunkt für Westtouristen und Schwarzwechsler. Außer ein paar jungen Damen, die jedem Westler ihre Begleitung anbieten, und ihren dazugehörigen Freunden finden sich hier wenige junge „normale" Prager.

Bessere Kontakte kann man dagegen schon in der auf der anderen Seite des Wenzelsplatzes liegenden **Video-Diskothek Alfa** oder dem mit einem einfachen, bunt beleuchtenden Glasboden ausgestatteten **Tatran** finden. Auch hier muß man zwar dem Türsteher 30 Kčs in die Hand drücken, aber es geht weitaus freundlicher zu als im Zlatá Husa oder im Jalta. Beliebt sind auch die Diskotheken auf den **Botels** (Nábř. L. Svobody), z.B. dem **Admiral** oder dem **Albatros,** beide in der Preiskategorie B, somit eher erschwinglich für Ost und West.

Wenn's mal ganz und gar ohne Touristen sein soll, dann gibt's das **U Holubů,** Praha 5.S.M. Kirova. Hier kann man sich für 10 Kčs bis morgens um zwei Uhr die Seele aus dem Leib tanzen. Wer auf Punk oder New Wave steht, sollte nichts wie ab ins **Na Chmelnici,** Praha 3. 10 Koněva. Ein Teil dieser Szene trifft sich am Denkmal des Heiligen Wenzel. Und mit etwas Glück entdeckt man am Altstädter Ring eine improvisierte Gedenkstätte mit der Aufschrift „Lennon statt Lenin".

Rechts: Auch in Prag gibt es Heavy Metal Sound.

Im Sommer ist auch die Karlsbrücke ein beliebter Treffpunkt, um zusammen Gitarre zu spielen und eine kleine Jam-Session zu veranstalten. In Prag ist man nicht orthodox, zumindest was die verschiedenen Szenen angeht. Kneipen nur für Kids und Punks gibt es in Prag nicht. Man trifft sich und geht in eine Bierstube, unterste *skupina* (Preisklasse). Wird die dann renoviert oder zum Speiselokal erhoben, sucht man sich was Neues. In den weiter draußen liegenden Stadtteilen gibt es weitere kleinere Diskos oder Jugendtreffs, die mit Plakaten an Bauzäunen werben.

Für Heavy Metal-Fans, die einmal tschechischen Hardrockgruppen wie *Citron* oder *Vitacit* lauschen wollen, gibt es eine Adresse: jeden Donnerstag im **Kulturhaus,** *Kulturní dům Barikádniku, Saratovská 1, Praha 10,* Heavy-Metal-Disco im Kultursaal. Hier finden auch die meisten Konzerte dieser Art statt. Bier und Becherovka fließen in Strömen; da kann es schon mal echt heiß hergehen.

Aber es muß nicht immer nur laut und heavy sein. Großen Anklang finden in Prag auch junge Rockgruppen wie *Stromboli, ETC* oder *Výběr.* Nur einen konstanten Ort, an dem man diese vom Niveau durchaus mit unseren Maßstäben vergleichbaren Rockbands hören kann, gibt es nicht. Am besten erkundigt man sich bei den **Sluna** –Vorverkaufsstellen in der Alfa-Passage oder der Lucerna-Passage am Wenzelsplatz. Hier bekommt man für 10-20 Kčs. die Karten für alle Veranstaltungen, egal ob Rock oder Jazz, Kammerorchester oder Liederabend. Ab und zu finden im **Lucerna-Palast** in der Lucerna-Passage kleinere Rockfestivals statt. Der Eintritt beträgt bei drei bis fünf Gruppen 20 Kčs.

Folk und Jazz: Größere Konzerte finden im **Kulturpalast,** *Palác Kultury,* Metrostation Gottwaldova, oder im *Park kultury a oddechu Julia Fučíka, Praha 7,* Metrostation Vltava, statt. Im Sommer gibt es hier zweitägige Open-Air-Festivals mit freiem Eintritt, im

Nach einem Pop-Konzert in einem Prager Kulturhaus.

April das mehrtägige Rockfestival im Kulturpalast. Hoch im Kurs stehen auch Folkrock- und Blueskonzerte. Im **Sophiensaal** auf der Moldauinsel *Slovanský ostrov* gibt es Country-, Folk- und Volksmusikkonzerte.

Jazz vom Feinsten kann man mit etwas Glück auch in Prag zu hören bekommen. Dann und wann werden die Prager Jazztage veranstaltet, zu denen auch Musiker von internationalem Rang kommen. Aber auch die einheimische Jazz-Szene hat einiges zu bieten. Ein Volltreffer ist es jedesmal, wenn Milan Svoboda Gäste ins **Malostranská beseda,** das Kleinseitner Kulturhaus einlädt. Hier direkt am Kleinseitner Ring ist eine der besten Jazzadressen in Prag. Milan Svoboda, Martin Kratochvíl oder Jana Koubková treten regelmäßig im Kulturhaus auf. Jeden zweiten oder dritten Tag gibt es eine Veranstaltung im Jazzclub. Die zweite Adresse für Jazz in Prag ist der **Club Reduta** in der *Národní třída,* der Nationalstraße. Qualitativ weniger zu bieten hat auf der anderen Straßenseite der Kellerschuppen **Metro Jazz Club.** Große Veranstaltungen aber wie z. B. „Jazzparanto" mit Jana Koubková finden wiederum im Kulturpalast statt. Im Julia-Fučíka-Kulturpark gibt es außerdem noch das **Jazzlokál Pražan** mit einer ganzen Reihe verschiedener Veranstaltungen.

Wer ist wo: Im Grillroom des „**CKD Dum",** direkt am Metroausgang Můstek, Wenzelsplatz, treffen sich die „New Romantics", „Popper" oder eben die Prager Yuppies. Hier ist man overdressed und trägt genauso wie die westlichen Kollegen nur vom Feinsten.

Wer den Jugendstil liebt und außerdem die Begleitung junger Männer sucht, ist im „Café Evropa" nicht am falschen Platz. Das Kaffeehaus, von morgens sechs bis um Mitternacht geöffnet, ist aber nicht nur eine einschlägige Adresse. Hier kommt, wie auch im anderen großen Kaffeehaus Prags, dem Café Slavia, ein bunt gemischtes Publikum zusammen.

Rollschuhlaufen als Sommertraining für Eishockeyspieler.

servis pletacích strojů
z dovozu

12

10 21
STARÉ MĚSTO
PRAHA 1

domácí potřeby Praha
středisko služeb

202

ARCHITEKTUR – AVANTGARDE IN PRAG

Siehe hierzu Karte auf Seite 229.

Vom Zuckerbäcker- zum Jugendstil: In der Architekturentwicklung des in die Moderne wachsenden Europa der Jahrhundertwende war Prag neben Paris, Wien und Berlin einer der Kristallisationspunkte der künstlerischen Avantgarde, die mit revolutionären Ideen und Manifesten den Stil der Zeit in utopische Bahnen lenkte. Enge wirtschaftliche und kulturelle Verflechtungen zwischen den Metropolen schufen hier eine fortschrittliche Atmosphäre, wie sie heute nur noch schwer vorstellbar ist: Architekten aus Deutschland (Peter Behrens) und Wien (Adolf Loos) entwarfen für Prag wichtige Bauten, Le Corbusier, Walter Gropius und Hannes Mayer hielten einflußreiche Vorträge, die tschechische Architektur eroberte die europäischen Kunstjournale. Vor diesem Hintergrund konnte sich eine überaus schöpferische und international einflußreiche, aber doch böhmisch inspirierte Architektur entwickeln, die ein bedeutendes und faszinierendes Kapitel der Prager Geschichte schrieb. Die Zeugnisse dieser Bilderstürmerei zu entdecken, ist manchmal aufregender, als die Monumente längst vergangener Epochen zu besichtigen.

Die moderne Baukunst in Prag entwickelte sich zeitgleich mit Berlin und Wien aus dem überkommenen Historismus des 19. Jahrhunderts heraus, der das Stadtbild weiter Teile Prags charakterisiert. Den ersten Befreiungsschritt und den Beginn der Moderne wagte der Jugendstil mit seiner Verwendung naturnaher Ornamentik anstatt des verbrauchten Zuckerbäckerstils. Als schönstes Beispiel gilt das **Hotel Evropa** (1) von 1900, dessen Speisesaal mit seinem elliptischen Galeriegeschoß einen Eindruck von dem Überschwang dieser reichen Zeit gibt.

Die Wende in der Architektur wurde vor allem von dem Wiener Meisterarchitekten Otto Wagner eingeleitet, dessen Schüler Jan Kotěra als einer der ersten die neuen Tendenzen in Prag einführte. Zunächst noch stark von Wien beeinflußt, wie das **Peterka Haus** (2) von 1900 mit seinen hohen schlanken Fenstern und eleganter Jugendstilornamentik zeigt, verbindet er später die neuen Ideen mit böhmischem Blut. Er schuf eine neue Sprache, wie am **Haus Urbánek** (3) aus dem Jahre 1912, wo der Bauschmuck ganz zurückgenommen ist zugunsten der Materialwirkung Ziegel-Kupfer. Aus der gleichen Zeit stammt das **Haus Štenc** (4) von Kotěra-Schüler Otokar Novotný, mit feinster Ziegelfassade in nobler Zurückhaltung. Hier wird Baukunst nicht als Schmuckwerk verstanden, sondern als edles Spiel von Proportionen, Licht und Schatten.

Weiterhin markiert der Otto Wagner-Schüler Hübschmann mit seinem **Wohnhaus am jüdischen Friedhof** (5) von 1911 die mutige Entwicklung zu einer klareren, den neuen Zeiten entsprechenden Architektur. Eine Weiterentwicklung Kotě-ras stellt das **Bürohaus** (6) aus dem Jahre 1924 dar, in dem er expressive Formen des Barocks in seinen Bau einfügt. Gut erkennbar ist hier das Hauptkennzeichen Prager Baukunst, das betonte Fassadenrelief mit den plastisch herausgearbeiteten Bauteilen (Sockel).

Der Einfluß des Kubismus: Das zweite Kapitel moderner Architektur in Prag begann mit der Veröffentlichung der ersten kubistischen Bilder (Picasso, Braque) in Paris, die nicht nur die Malerei veränderten, sondern auch das Prager Bauen. In der damaligen revolutionären Atmosphäre sah man im Kubismus – in der facettenhaften, prismatischen Zerlegung und Abstraktion von Flächen – die Möglichkeit, alte Konventionen zu überwinden und eine neue Zeit zu versinnbildlichen. Namhafter Architekt der Zeit wird Josef Chochol mit Bauten in der **Neklanova 2 und 34.** Ein Beispiel in der Innenstadt ist die **„Straßenlaterne mit Sitzbank"** (7) aus dem Jahre 1913 von Vladislav Hofmann, die in reizvoller Verbindung zu der Kirche Maria Schnee steht.

Vorhergehende Seiten: Häuserfront in der Pařížska. Links: Kubistische Elemente. Folgende Seiten: Wohnhaus in der Neklanova. Rolltreppe im Kaufhaus MAJ.

Diese Versuche, Baukörpern eine gesteigerte Plastizität zu geben, fanden nicht zufällig in Prag Verbreitung. Wurde doch damit der hiesige barocke Baugedanke, Fassaden mit Körperlichkeit und Bewegung zu erfüllen, neu interpretiert und in eine moderne Sprache übersetzt. Ein frühes Beispiel dieser Periode stammt aus dem Jahre 1912 mit dem „**Haus der schwarzen Muttergottes**" (8) von Josef Gočár, das man beim Spaziergang durch die Celetná besichtigen kann (im ersten Stock ist ein Café).

Entstehung des Rondokubismus: Der kubistische Einfluß fällt in eine Zeit, in der sich das Land von der Habsburger Monarchie

löst und der tschechoslowakische Staat gegründet wird. Vor diesem politischen Hintergrund versuchen die führenden Architekten mit den Mitteln des Kubismus, kombiniert mit den Formen der Volkskunst, mit plastischen Bogen-, Zylinder- und stark hervortretenden Reliefformen, eine eigenständige nationale Architektur zu schaffen. Sie geht als **Rondokubismus** in die Kunstgeschichte ein und zeigt starken Einfluß auf viele Bauten in Prag. Bedeutende Zeugnisse dieser Richtung sind das **Bürohaus** (9) aus dem Jahre 1922 von Pavel Janák, und dessen ins Monumentale verkürztes Nachbargebäude (10) von demselben Architekten aus

dem Jahre 1923. Beide liegen gegenüber dem Haus von Kotěra, das zehn Jahre vorher errichtet worden war.

Auch Meisterarchitekt Novotný baute 1921 in diesem Stil und zwar ein **Wohnheim** (11) mit einer neuartigen wirkungsvollen Farbgestaltung.

Moderne der zwanziger Jahre: Im Laufe der zwanziger Jahre bewegte sich die europäische Architektur in eine andere Richtung, so daß sich auch in Prag bald die „klassische" weiße Moderne gegen den nationalistischen Rondokubismus durchsetzte. Das dritte Kapitel der Prager Moderne wurde eröffnet. Ein Symbol dieser Neuorientierung und damaligen Aufgeschlossenheit Prags ist die lichte, fast körperlose Erscheinung des **Künstlerhauses Mánes** (12) von 1928, dessen strahlend weißen, puristisch klaren Baukörper Novotný ganz selbstbewußt in die Moldau hinaus baut.

Eine interessante Innenraumfolge der dritten Periode bildet die Einkaufspassage „**Schwarze Rose**" (13) von Oldřich Tyl aus dem Jahre 1929, deren Überdeckung erstmals aus Glasbausteinen hergestellt wurde. Die Galerien sind über zwei ineinander verschränkte Wendeltreppen erreichbar. Leider hat die Passage durch mangelnde Wartung einiges von ihrer ursprünglichen Freundlichkeit verloren. Eine baldige Renovierung würde der Raumwirkung guttun.

Gegen Ende der zwanziger Jahre findet die bekannte moderne Architektur aus Stahl, Glas und glatten Flächen in Prag wie auch in den anderen Zentren allgemeine Anerkennung und Verbreitung, auch wenn nicht alle diese „modernen" Häuser heute noch unsere Zustimmung finden. Beachtenswert sind als Ausläufer dieser Reformzeit vor der Annexion das **Hotel Juliš** (Tatran) (14) von 1933 und das **Lindthaus** (15) von 1927.

Nachkriegsarchitektur: Nach dem Zweiten Weltkrieg hat die Architektur der Tschechoslowakei aus heutiger Sicht nur wenige bedeutende Schöpfungen hervorgebracht. Eine Ausnahme bildet das **Kaufhaus „MÁJ"** (16), das 1968 von dem Architektenkollektiv Stavoprojekt Liberec entworfen wurde. Mit seiner großdimensionierten Rolltreppe und dem Bekenntnis zu den baulichen Mitteln der Gegenwart hat es auch international viel Beachtung gefunden.

RUND UM PRAG

Es gibt rund um Prag eine Reihe von interessanten und lohnenswerten Ausflugszielen, die man gut an einem Tag erreichen kann. Eines der berühmtesten Ziele für den Tagesausflug ist die **Burg Karlstein** rund 35 Kilometer von Prag in Richtung Plzeň. Karlstein, *Karlštejn,* war nicht nur als Wohnburg gedacht, sondern diente vor allem auch dem Schutz der Reichskleinodien. Die Grundsteinlegung war am 10. Juni 1348, und innerhalb von zehn Jahren war die Anlage fertiggestellt. Von den verschiedenen Sälen und Räumen, die heute zu besichtigen sind, sei vor allem auf die **Kreuzkapelle** hingewiesen, den prunkvollsten Raum der ganzen Burg. Die Wände sind mit 2450 Edel- und Halbedelsteinen ausgeschmückt.

Eine weitere Burg ist in Richtung der E12 zu finden, die Burg **Křivoklát** etwa 35 Kilometer außerhalb von Prag. Ursprünglich stand hier ein kleines hölzernes Jagdschloß. Karl IV. ließ die Burg eigens für seine Frau Blanca ausbauen. In späterer Zeit wurde daraus ein Gefängnis, in dem u. a. auch der Alchimist Kelley einsaß, der in den Diensten Rudolfs II. stand. In der Burg ist heute ein Museum mit Musikinstrumenten und einer Bildergalerie untergebracht. Im nahen Ort **Lány** ist das Grab des Gründers der Tschechoslowakischen Republik, T. G. Masaryk zu besichtigen. Die Umgebung sowohl von Karlštejn als auch von Křivoklát, das von einem 600 Quadratkilometer großen Naturpark umgeben ist, eignet sich für Spaziergänge.

Das Schloß von **Konopiště** nahe der Stadt Benešov ist wegen seiner reichhaltigen Waffensammlungen und Jagdtrophäen bekannt. **Mělník,** rund 32 Kilometer von Prag entfernt, liegt am Zusammenfluß von Elbe und Moldau. Der Ort ist vor allem wegen seiner Weinberge berühmt geworden.

Vorhergehende Seiten: Ein Bierfahrer. Unten: Schloß Mělník.

Der Park von **Průhonice** am südöstlichen Stadtrand von Prag gehört zu den schönsten und größten Parkanlagen in ganz Europa. Auf einer Fläche von über 200 Hektar findet sich eine abwechslungsreiche Parklandschaft mit 7000 Rhododendren, Azaleen und anderen Pflanzen. Vor allem im Mai und Juni während der Blüte ist er ein besonders lohnendes Ziel.

Etwas abgelegen in Prag 7 liegt gegenüber dem Zoologischen Garten das **Schloß Troja,** ein 1679-85 für Graf Sternberg erbautes Lustschloß, vor allem wegen seiner prunkvollen Innenausmalung und der schönen Freitreppe mit Szenen des Kampfes zwischen Göttern und Titanen berühmt geworden.

Ebenfalls am Rande Prags, und zwar in Prag 6, liegt das **Schloß Stern** *(Hvězda),* das seinen Namen von dem sternförmigen Grundriß erhielt. Das Schloß, damals im königlichen Jagdgebiet gelegen, wurde 1555/56 errichtet. Nachdem es im 18. Jahrhundert als Pulvermagazin gedient hatte, wurde es 1949-51 restauriert und in ein Museum für Mikoláš Aleš und Alois Jirásek umgewandelt.

An der Straße nach Kladno liegt etwa 25 Kilometer von Prag entfernt das Dorf **Lidice,** das nach dem Attentat auf den stellvertretenden „Reichsprotektor" Heydrich niedergebrannt wurde. Heute befinden sich hier eine Gedenkstätte und ein Museum. Knapp 70 Kilometer von Prag entfernt in Richtung Osten liegt die Stadt **Kutná Hora,** die einst mit Prag um die größte Entfaltung an städtischer Pracht wetteiferte. Aus dieser Zeit sind auch noch einige Baudenkmäler erhalten, wie der Welsche Hof, *Vlašský dvur,* in dem sich die königliche Münzstätte befindet. Beachtenswert sind auch die gotische St.-Barbara-Kirche und das Steinerne Haus, *Kamenný dům,* das als Meisterwerk der mittelalterlichen Steinmetzkunst gilt. Bei der Fahrt nach Prag sollte man, sofern man über **Cheb** (Eger) kommt, im früher so mondänen **Karlovy Vary** (Karlsbad) haltmachen.

Ländliche Idylle vor den Toren Prags.

KURZFÜHRER

ANREISE

MIT DEM FLUGZEUG

Der Flughafen Ruzynče liegt 20 km ausserhalb von Prag. Im Gegensatz zum Bahnhof finden sich hier Gepäckträger und Handwagen. Die Fahrt mit dem Airport-Taxi ins Stadtzentrum kostet 50 Kčs.

Direkte Flugverbindungen nach Prag gibt es von Frankfurt/M., Wien, Zürich und Genf. Diese Routen werden von ČSA, Lufthansa, Austrian Airlines und Swissair bedient. Flüge von anderen deutschen Flughäfen wie Berlin, Hamburg usw. gehen über Frankfurt/M.

FLUGGESELLSCHAFTEN

ČSA - Československé aerolinie:
Verkauf von Flugtickets, Reservierungen, Prag 1, Revoluční 1 (Kotva), Tel. 2146
Informationen über Flugpläne und Fahrpläne der Busse zum Flughafen Prag 1, Revoluční 25 (Vltava), Tel. 21 46, 231 73 95
Beide Büros liegen in der Nähe der Metrostation Náměstí Republiky.

Flughafen Ruzyně, Prag 6, Tel. 334 Zentraler Informationsdienst, Tel. 36 77 60, 36 78 14

Aeoroflot, Prag 1, Na příkopě 15, Tel. 26 08 62, Flughafen: 36 78 15.

Air Algerie, Prag 1, Žitná 23, Tel. 26 54 83, 22 57 79.

Air France, Prag 1, Václavské náměešt 10, Tel. 26 01 55, Flughafen: 36 78 19

Air India, Prag 1, Václavské nám. 15 Tel. 22 38 54

Alitalia, Prag 1, Revoluční 5, Tel. 231 05 35

AUA, Prag 1, Pařížska 1, Tel. 231 27 95, 231 64 69

British Airways, Prag 1, Štěpánská 63, Tel. 236 03 53,

KLM, Prag 1, Václavské náměští 39, Tel. 26 43 62, 26 43 69, Flughafen: 34 14 48

Lufthansa, Prag 1, Pařížská 28, Tel. 231 74 40, 231 75 51, Flughafen 36 78 27

Pan American Airways, Prag 1, Pařížská 11, Tel. 26 67 47-9

SAS, Prag 1, Štěpánská 61, Tel. 22 81 41, Flughafen: 36 78 17

Swissair, Prag 1, Pařížská 11, Tel. 231 47 07, Flughafen: 36 78 09

MIT DER BAHN

Bei der Anreise mit dem Zug kommt man auf dem Hauptbahnhof Hlavní nádraží an. Die Fahrzeit beträgt von München 8, von Hamburg 14, von Frankfurt 10, von Wien 6 Stunden.

Die Bundesbahn bietet verschiedene Fahrpreisermäßigungen an. Nationale und internationale Fahrkarten kann man in Prag bei Čedok, Prag 1 Na příkopé, gegen Westdevisen oder direkt am Bahnhof gegen tschechische Kronen kaufen.

Bei der Ankunft in dem großzügig ausgebauten Hauptbahnhof darf man nicht mit Gepäckträgern oder Kofferwagen rechnen. Zum Hotel fährt man entweder mit dem Taxi oder mit der Metro. Der Eingang ist in der Schalterhalle. Das Hotel „Esplanade", Praha 1, Washingtonova 19, liegt direkt gegenüber dem Hauptbahnhof und kann zu Fuß erreicht werden.

MIT DEM AUTO

Prag ist über folgende Grenzübergänge zu erreichen (in Klammern die Entfernungen von Prag): Über Bayreuth nach Schirnding/Cheb (175); von Nürnberg über Waidhaus/Rozvadov (171 km); von Regensburg über Furth im Wald/Folmava (172 km); von Passau über Philipsreuth/Strážny (164 km); von München über Eisenstein/Železná ruda (171 km). Für Deutschland sind weitere Grenzübergänge sowie ein weiterer Übergang für Busse und PKW in Waldsassen geplant. Von Österreich über Salzburg - Linz Summerau/Horni Dvořiště (186 km); von Wien Gmünd/České Velenice (195 km) oder über Grametten/Nová Bystřice (177 km).

Für die Einreise mit dem PKW benötigt man den nationalen Führerschein und nationalen KfZ-Schein. Die grüne Versicherungskarte sollte ebenfalls mitgenommen werden.

Bleifreies Benzin (pohonné látky bez olovnatých přísad) wird in folgenden Städten angeboten: Brno (Brünn), Budějovice (Budweis), Karlovy Vary (Karlsbad), Piešťany, Ostrava, Plzen (Pilsen), Teplice, Bratislava (Preßburg) und in Prag beidseitig an der Autobahntankstelle in Richtung Brünn. Dieseltreibstoff kann nur gegen Gutscheine des Außenhandelsunternehmens TUZEX bezogen werden. Diese Gutscheine können an den Genzübergängen bei der Státní banka československá und einigen Filialen dieser Staatsbank im Inland bezogen werden. Im Ausland erhält man die Gutscheine über die Vertretungen der Firma Tuzex.

Die Autobahnen sind in der Tschechoslowakei gebührenfrei. Höchstgeschwindigkeit ist innerhalb geschlossener Ortschaften 60 km/h, außerhalb geschlossener Ortschaften 90 km/h, auf der Autobahn 110 km/h. Auf den Autobahnen finden häufig Radarkontrollen statt, wobei die Geldstrafen bis zu 500 Kčs betragen können.

In der Tschechoslowakei besteht für Autofahrer absolutes Alkoholverbot. Bei Zuwiderhandlung drohen Entzug des Führerscheins und strafrechtliche Folgen. Kinder unter 12 Jahren dürfen nicht auf den Vordersitz. Anschnallpflicht besteht außerhalb der Ortschaften.

Der Dieseltreibstoff an den Autobahnen soll nach Angaben inländischer Kraftfahrer von besserer Qualität und nicht so verschmutzt sein.

An den Grenzübergängen und im Landesinneren sind Benzingutscheine erhältlich. Vor nächtlichen Fahrten sollte man sich rechtzeitig mit Benzin eindecken. Oft sind abends alle Tankstellen im weiten Umkreis geschlossen. Das Service- und Reparaturnetz ist in der Tschechoslowakei nicht sehr dicht. Besonders für westliche Fahrzeugtypen sind Ersatzteile kaum erhältlich.

Die Kontrollen an den Grenzübergängen sind oft langwierig und gründlich. Es kommt daher vor allem in der Hauptreisezeit zu langen Wartezeiten.

REISEINFORMATIONEN

VISUM

Jeder Besucher Prags benötigt einen mindestens noch fünf Monate gültigen Reisepaß. Durch die neuesten Entwicklungen entfällt jedoch die Visumspflicht.

ZOLL

Der tschechoslowakische Zoll ist streng. Um Mißverständnisse zu vermeiden, sollte man sich in allen unklaren Fällen bei den jeweiligen Stellen genau erkundigen. Bei der Einreise bekommt man meist ein Informationsblatt über die Zollvorschriften.

EINFUHR

Alle Gegenstände des persönlichen Bedarfs können in die ČSFR eingeführt werden. Dabei sollte man sich vor allem bei technischem Gerät, bei Foto- und Filmausrüstungen, Taschenrechnern usw. selbst eine Liste mit genauer Bezeichnung, Nummer usw. anfertigen und sich diese durch die Zollbeamten bei der Einreise bestätigen lassen. Diese Liste muß bei der Ausreise wieder vorgelegt werden. Alle zum persönlichen Gebrauch eingeführten Gegenstände müssen auch wieder ausgeführt werden.

Vom Zoll befreit sind Waren, die zum persönlichen Gebrauch für den Reisenden bestimmt sind, sowie: 2 Liter Wein, 1 Liter Spirituosen, 250 Zigaretten oder eine entsprechende Menge an Zigarren oder anderen Tabakprodukten, 1000 Stück Schrotmunition oder 50 Stück Kugelmunition. Für Jagdgewehre benötigt man einen von den tschechischen Behörden ausgestellten Waffenbegleitschein.

Geschenke für tschechische Staatsbürger dürfen den Gegenwert von 1000 Kčs nicht übersteigen.

AUSFUHR

Ohne Ausfuhrgenehmigung sind folgende Waren zollfrei: alle zum persönlichen Gebrauch eingeführten Waren; Reisebedarf; 2 Liter Wein; 1 Liter Spirituosen; 250 Zigaretten oder eine entsprechende Menge Tabakerzeugnisse, in der ČSFR gekaufte Gegenstände, die den Wert von 1000 Kčs insgesamt nicht übersteigen; Waren, die gegen Devisen und Quittung in den TUZEX-Läden und ihren Dependancen erworben wurden.

Ein Ausfuhrverbot besteht für folgende Waren, die für Kčs gekauft wurden:

Lebensmittel aller Art, Getränke, Zigaretten und Tabakwaren, Baumwollgewebe, Plüsch, Strickbekleidung, Wäsche, Säuglings- und Kinderbekleidung, Pelze und Lederwaren, Handtücher und Decken, Schuhe und Lederhandschuhe, Lederkurzwaren, Besteck und Geschirr, Gold- und Silbererzeugnisse, Ersatzteile für PKWs, Autoreifen, Federn und Federerzeugnisse, Antiquitäten.

Eine Ausfuhrbewilligung bekommt man für folgende mit Kčs gekaufte Gegenstände:

Gummitextil-Liegestühle, Zelte, Sportbedarf, Email- und Aluminiumgeschirr, Installations- und Elektroinstallationsmaterial, Baumaterial, Geräte und Werkzeuge für Handwerker- und Industriebedarf, Bettwäsche, Kugelgewehre, Schrotgewehre.

GELD

Zahlungsmittel in der ČSFR ist die tschechoslowakische Krone, Kčs (=Koruna), die in Heller, hal., (=haléř) unterteilt ist. Im Umlauf sind Münzen zu 1, 2 und 5 Kronen sowie zu 5, 10, 20, 50 Heller. Banknoten gibt es im Wert von 10, 20, 50, 100, 500 und 1000 Kronen. Zur Zeit (Stand: Dezember 1990) bekommt man für 1 Mark etwa 20 Kčs.

Die Ein- und Ausfuhr von Devisen unterliegt keiner Begrenzung. ČSFR-Kronen dürfen nicht ein- und ausgeführt werden.

SCHWARZTAUSCH

In Prag können sie überall schwarz tauschen. Es ist jedoch in der Tschechoslowakei offiziell verboten, Geld auf dem Schwarzmarkt zu tauschen. Sie begehen dadurch ein Devisenvergehen, das streng bestraft wird. Man sollte sich also durch etwaige Angebote auf keinen Fall in Versuchung führen lassen.

BANKEN

Obchodní banka, Prag 1, na příkopě 14, Mo-Fr 7.30-12 Uhr
Státní banka československá, Prag 1, Václavské nám. 42, Mo-Fr 8.30-13 Uhr
Stántní banka československá, Prag 1, Na příkopě 28, Mo-Fr 8-17 Uhr
Zivnostenská banka, Prag 1, Na příkopě 20, Mo-Fr 8-17 Uhr

WECHSELSTUBEN

Flughafen Praha Ruzyne
Čedok Reisebüro, Prag 1, Na příkopě 18, Mo-Fr 8-16.15 Uhr, Sa 8.15-12 Uhr
Pragotur, Prag 1, U Obecního domu 2, Mo-Fr 8-21.30 Uhr, Sa 9.30-18 Uhr

Außerdem befinden sich auch in allen **Hotels der Klassen A* de luxe, A* und B*** Wechselstuben.

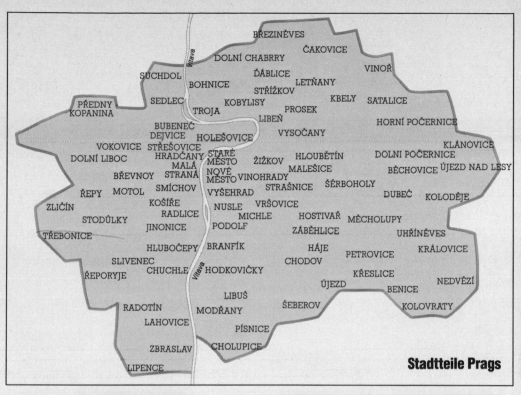

Stadtteile Prags

KLEINE LANDESKUNDE

CSFR

Die Tschechoslowakische Föderative Republik grenzt an Deutschland. Weitere Nachbarn sind Polen, die Sowjetunion, Ungarn und Österreich.

Die Tschechoslowakei hat etwa 15,3 Millionen Einwohner. Rund 64% sind Tschechen, 30% Slowaken. Die restlichen 6% sind ungefähr 62 000 Deutsche in Böhmen und Mähren, 580 000 Ungarn in der Südslowakei, 55 000 Ukrainer und Russen in der Ostslowakei und 68 000 Polen.

Die Landessprachen sind Tschechisch und das eng damit verwandte Slowakisch. Deutsch wird in Prag in nahezu allen touristischen Plätzen gesprochen.

PRAG

Prag ist die Hauptstadt der Tschechoslowakischen Föderativen Republik ČSFR. An der Moldau (Vltava) gelegen, erstreckt es sich zwischen sieben Hügeln. Die Höhe über dem Meeresspiegel beträgt 176-397 Meter. Prag liegt auf 50°8' nördlicher Breite und 14°32' östlicher Länge, ungefähr auf derselben nördlichen Breite wie Frankfurt. Die Stadt wird auf einer Länge von 31 km von der Moldau durchflossen, deren durchschnittliche Seehöhe 180 m und deren größte Breite 300 m beträgt.

In Prag leben laut Zensus vom 31.07.1985 1 191 086 Menschen auf einer Gesamtfläche von 497 qkm.

KLIMA

Das Klima in Prag ist durch dessen geschützte Lage recht mild. Die durchschnittliche Jahrestemperatur beträgt 9,3° C. Sommer: Juni 17,3° C, Juli 19,2° C, Winter: Dezember 1,8° C, Februar 0,5° C

Die jährliche Durchschnittsmenge an Niederschlägen liegt bei 487 mm, am wenigsten fällt im Februar, am meisten im Juli.

NACHRICHTENWESEN

POSTAMT & POSTBEZIRKE

Die Prager Hauptpost ist 24 Stunden geöffnet: **Hlavní pošta**, Prag 1, Jindřišská 14

Prag ist in zehn Bezirke unterteilt. Die Postanschriften lauten entsprechend dem Bezirk Praha 1-110 000, Praha 2-120 000 usw. Es gibt zwei Arten von Hausnummern. Die blauen Tafeln geben die Adresse an, die roten zeigen an, als wievieltes Haus das betreffende Gebäude im Stadtbezirk gebaut wurde.

PORTOGEBÜHREN

Die Portogebühren betragen für:

	Briefe und Postkarten	Ansichtskarten
Prag und ČSFR sowie soz. Länder	Kčs 1.– (20g)	Kčs 0.50
restl. Europa	Kčs 4.– (20g)	Kčs 3.–
Österreich	Kčs 3.50 (20g)	Kčs 2.50
Übersee (Luftpost)	Kčs 6.– (10g)	Kčs 4.40

TELEFON

Beim Telefonieren kann man zwischen direkt- und handvermittelten Gesprächen wählen.

Bei direkter Durchwahl in öffentlichen Telefonzellen (sofern sie überhaupt in Betrieb sind) kommt man mit dem Einwerfen der Fünf-Kronen-Münzen nicht nach. Die Sprechzeit für fünf Kronen beträgt in die Bundesrepublik Deutschland 15 Sekunden. **Vorwahl** für die Bundesrepublik 0049/, Österreich 0043/, Schweiz 0041/. Bei handervermittelten Gesprächen ins Ausland bezieht sich die Grundgebühr von 60 Kčs auf ein Drei-Minuten-Gespräch, auch wenn das Gespräch früher unterbrochen wird.

Die Anmeldung von handvermittelten Gesprächen erfolgt für das Ausland unter: Tel. 01 33 (Bundesrepublik und Österreich) Tel. 01 31 (Schweiz). Für Inlandsvermittlungen wählt man Tel. 102 und 108

Die Gebühr für Stadtgespräche beträgt Kčs 1.-. Dabei wird das Geld erst eingeworfen, wenn sich der Teilnehmer meldet.

FÜR DEN NOTFALL

ÄRZTEDIENST

Für westliche Besucher gibt es in Prag eigene Behandlungsräume innerhalb der Universitäts-Poliklinik. Die erste Untersuchung ist gebührenfrei. Weiterführende Behandlungen, Operationen und Krankenhausaufenthalte müssen dann aber in Devisen bezahlt werden. Die Medikamente, die von tschechischen Ärzten verschrieben werden, können in Kčs bezahlt werden.

In Notfällen kann man sich aber auch an die nächstliegende Station des **Allgemeinen Bereitschaftsdienstes** und der **Ersten Hilfe** wenden.

Für die zahnärztliche Behandlung steht ebenfalls ein spezieller Ausländerdienst zur Verfügung.

ÄRZTEDIENST FÜR AUSLÄNDER

Fakultní poliklinika, Prag 2, Karlovo nám. 32, Tel. 29 93 81
Internist Mo-Fr 8-16.15 Uhr
Zahnarzt Mo-Fr 8-15 Uhr
Zahnärztlicher Notdienst, Prag 1, Vladislavova 22, Tel. 26 13 74, täglich 19-7 Uhr

APOTHEKEN

Die folgenden Apotheken (lekárny) sind 24 Stunden geöffnet:

Prag 1, Zentrum, Na říkopě 7, Tel. 22 00 81, 22 00 82

Prag 2, Nové Město, Ječná 1, Tel. 26 71 81

Prag 3, Žižkov, Koněnova 150, Tel. 89 42 03

Prag 4, Nusle, Nám. bratří Synku 6, Tel. 43 33 10

Prag 5, Smíchov, S.M. Kirova 6, Tel. 53 70 39

Prag 6, Břevnov, Pod Marjánkou 12, Tel. 35 09 67

Prag 7, Letná, Obránců míru 48, Tel. 37 54 92

Prag 8, Leben, Nám. dr. Holého 15. Tel. 82 44 86

Prag 9, Vysočany, Sokolovská 304, Tel. 83 01 02

Prag 10, Vršovice, Moskevská 41, Tel. 72 44 76

NOTRUF

Notruf Krankenwagen	333
Notruf Arzt (lékar)	155
Verkehrsunfall	24 24 24
Polizei	158

BOTSCHAFTEN

Bundesrepublik Deutschland, Prag 1, Vlašská 19, Tel. 53 23 51

Frankreich, Prag 1, Velkopřevorské nám, 2, Tel. 53 30 42

Großbritannien, Prag 1, Thunovská 14, Tel. 53 33 47

Italien, Prag 1, Nerudova 20, Tel. 53 26 46

Japan, Prag 1, Maltézské nám., Telefon 53 57 51

Kanada, Prag 6, Mickiewiczova 6, Tel. 32 69 41

Niederlande, Prag 1, Maltézské nám. 1, Tel. 53 13 78

Österreich, Prag 5, ul. Viktoria Huga 10, Tel. 54 65 57, 54 65 50

Schweiz, Prag 6, Pevnostni 7, Tel. 32 83 19

Vereinigte Staaten von Amerika, Prag 1, Tržiště 15, Tel. 52 66 41

UNTERWEGS

ÖFFENTLICHE VERKEHRSMITTEL

Prag ist eine Stadt, die man gut zu Fuß erkunden kann. Darüber hinaus sind die öffentlichen Verkehrsmittel billig und gut aufeinander abgestimmt.

U-BAHN

Kernstück der Prager „Öffentlichkeit" ist die Metro. Sie teilt sich in 3 Linien auf.

Linie A verbindet den Osten (Leninova), die Kleinseite und Můstek mit dem Prager Westen (Strašnice). Vom Süden führt die Linie B von Smíchov (Smíchovské nádrazí) über Mustek zur Sokolovská. Hier trifft sie auf die Linie C, die vom Südwesten von

Kosmonautu zur Fučíkova im Norden führt.Eine Fahrt kostet 1 Kčs. Die Fahrausweise sind entweder an Automaten in den U-Bahnstationen oder an den kleinen Kiosken vor den U-Bahneingängen erhältlich.

STRASSENBAHN

Vor den vielen Straßenbahn- und Buslinien innerhalb Prags dürfte die Linie 22 der Straßenbahn für auswärtige Besucher am interessantesten sein. Sie führt von Náměsti Míru über den Karlsplatz in die Nationalstraße. Auf der Brücke des 1. Mai überquert sie die Moldau und fährt durch die Karmelitská auf der Kleinseite zum Kleinseitener Ring. Vor dort schlängelt sie sich in wenigen Kurven den Burgberg hinauf und fährt weiter durch die Keplerova zum Ausgangspunkt für Strahov und Petřín. Für 1 Krone kann man mit der Linie 22 nahezu eine komplette Stadtrundfahrt machen.

TAXI

In Prag ein Taxi zu bekommen, fällt nicht schwer. Ein freies Taxi kann man am beleuchteten Schild erkennen. Benötigt man zu einem bestimmten Zeitpunkt ein Fahrzeug, kann man es telefonisch beim Dispatcher-Dienst bestellen. Für Kunden aus den Stadtbezirken 5, 6, 7 einschließlich Kleinseite und Hradschin gilt die Nummer **20 39 41**, für die Stadtbezirke 1, 2, 3, 4, 8, 9, 10 die Nummer **20 29 51**.

Wie überall, sollte man auch in Prag darauf achten, daß die Fahrer das Taxameter einschalten. Die Gebühr für einen Kilometer beträgt 3,40 Kčs, die Grundgebühr 6 Kčs. Die Wartezeit für eine Stunde kostet 30 Kčs.

Zum Flughafen ist es günstiger, das Airport-Taxi der ČSA zu nehmen, da die normalen Fahrer sowohl die Hin- als auch die Rückfahrt berechnen.

MIETWAGEN

Mietwagen der Firma Hertz gibt es bei:
Pragocar, Prag 1, Štepánská 42, Tel. 235 28 25, 235 28 09, Telex: 122 641
Flughafen Ruzyně, Tel. 36 78 07, Telex: 122 729
Hotel Inter-Continental, Tel. 231 95 95, Telex: 121 353
Die Gebühr beträgt je nach Kategorie (eco-nomy, medium und luxury) zwischen 53-95 DM pro Tag und 0,49-0,83 DM pro Km.

PARKEN

In Prag versucht man, die Innenstadt vom Autoverkehr soweit wie möglich frei zu halten. Zu diesem Zweck wurde der Stadtkern in die Zonen A (Altstadt), B (Neustadt) östlich des Wenzelsplatzes) und C (westlich des Wenzelsplatzes) unterteilt. In der Innenstadt gibt es eine Reihe von Parkzonen.

Die Parkgebühr beträgt für Stellplätze innerhalb dieser Zonen 1 Kčs pro halbe Stunde, auf den vom Zentrum weiter entfernten Parkplätzen 1 Kčs pro Stunde.

Die Zufahrt zum Wenzelsplatz und zu den umliegenden Straßen ist nur Hotelgästen mit einem Berechtigungsschein gestattet.

Hotelgäste bekommen von der Rezeption einen Berechtigungsschein, der sichtbar auf dem Armaturenbrett angebracht werden muß. Damit kann man auf den für das Hotel reservierten Parkplätzen oder in den hoteleigenen Garagen sein Auto abstellen. Diese Berechtigungsscheine gelten nur für die hoteleigenen Stellplätze.

Abgeschleppte Fahrzeuge werden in Prag 10 Hostivař, Cernokostelecka, 15 km außerhalb von Prag verwahrt.

PARKZONEN

Im Zentrum gelegen sind die Parkplätze:
Platnéřská
Rytirská
Haštalská
Pařižská
Štepánská
Národní
Námestí Krasnoarmejců
Na Františku, bei Ceskoslovenské airolinie
Pařižská-Hotel-Intercontinental
Gorkého náměsti
Opletalova, beim Hauptbahnhof
Politických vězňu
Malá Štepánská
Tešnov, beim Hotel Opera
Petrské náměstí, beim Turm Petrská vež
Petrské náměstí
Sázavská
Ibsenova
Škrétova
Tylovo náměstí, beim Hotel Beránek

ESSEN & TRINKEN

RESTAURANTS & GASTSTÄTTEN

Essen und Trinken hat in Prag einen hohen Stellenwert. Ein paar Restaurants, Gaststätten oder Weinkeller wurden im jeweiligen Themenkasten besprochen. Es sollen im folgenden weitere, ebensogute oder empfehlenswerte Lokalitäten genannt werden.

Wichtig für den Besucher ist die skupina, die Preisklasse der Lokalität. Es gibt insgesamt vier Stufen.

Dementsprechend reichen die Preise von rund 12 Kčs für einen Schweinebraten in der IV. skupina bis zu etwa 80 Kčs in einem Extraklasse-Restaurant, jeweils staatlich festgesetzt. Auf den Speisekarten ist übrigens meistens das Grammgewicht bei Fleisch- oder Fischgerichten angegeben. Die Zubereitung und Grundzutaten unterliegen einer im ganzen Land gültigen Norm, die sogar für Spezialitätenrezepte bewilligt werden muß.

Die meisten Restaurants der ersten beiden Kategorien werden vom staatlichen Großbetrieb restaurace a jidelny verwaltet und beliefert. Von einer Vielfalt der Speisen angesichts der ungezählten Möglichkeiten, sich in Prag zu verkösten, kann also nicht unbedingt die Rede sein.

Bei Dienstleistungen, die zur Zufriedenheit ausgeführt wurden, ist ein Trinkgeld von etwa 10% üblich.

BIERSTUBEN

Das wichtigste Getränk in Prag ist das Bier. Bei Bierstuben ist für den Prager weniger die Qualität der Gaststätte und deren Sauberkeit als vielmehr die Qualität des dort ausgeschenkten Bieres ausschlaggebend. Viele trinken nur Ihr Stammbier und gehen nur dahin, wo dieses Bier gezapft wird.

Das tschechische Bier ist vielleicht das beste Bier der Welt und außerordentlich süf-fig. Um einen Brummschädel zu bekommen, muß man schon ordentliche Mengen zu sich nehmen.

ADRESSEN

Bránický sklípek, Prag 1, Vodičkova 26, (14º Bier aus Banik)

Černy Pivovar, Prag 2, Karlovo nám. 15, (12º Pilsener Urquell)

Na Vlachovce, Prag 8, Rudé armády 217, (12º Budvar)

Plzeňský dvůr, Prag 7, Obránců míru 59, (12º Pilsener Urquell)

Smichovský sklipek, Prag 1, Národní 31, (12º Bier aus Smichov)

Rakovnická pivnice, Prag 5, S.M. Kirova 1, (12º Bakalar Bier aus Rakovník)

U Bonaparta, Prag 1, Nerudova 29, (12º Bier aus Smichov)

U Černého vola, Prag 1, Loretánské nám. 1, (12º Bier aus Velké Popovice)

U dvou koček, Prag 1, Uhelný trh 10, (12º Pilsener Urquell)

U dvou srdcí, Prag 1, U lužického semináře 38, (12º Pilsener Urquell)

U Fleků, Prag 1, Křemencova 11, (12º dunkles Flek-Bier)

U Glaubiců, Prag 1, Malostranské nám 5, (12º Bier aus Smichov)

U Medvídků, Prag 1, Na Perštýne 7, (12º Budvar-Bier)

U Pinkasů, Prag 1, Jungmannovo nám. 15, (12º Pilsener Urquell)

U Schnellů, Prag 1, Tomášská 2, (12º Pilsener Urquell)

U Sojků, Prag 7, Obránců míru 40, (12º Pilsener Urquell)

U Supa, Prag 1, Celetná 22, (14º dunkles Spezial aus Branik)

U svatého Tomáše, Prag 1, Letenská 12, (12º dunkles Bier aus Branik)

U Vejvodu, Prag 1, Jilská 4, (12º Bier aus Velké Popovice)

U zlatého tygra, Prag 1, Husova 17. (12º Pilsener Urquell)

WEINSTUBEN

Mindestens genauso beliebt wie die Bierstuben sind die Weinstuben, *vinárna* genannt. Hauptsächlich werden in den Weinstuben inländische Weine ausgeschenkt. Der beste Wein kommt aus Zernoseky im Elbetal, wo auch die Melniker Weine gedeihen. Gute Weine kommen auch aus Südmähren, z.B. aus Mikulov, Hodonin, Znojmo oder Valtice. Einige Weinstuben werden auch von Genossenschaften beliefert.

In früheren Zeiten gab es auch in Prag selbst Weinberge, der Name des heutigen Stadtviertels Vinohrady erinnert noch daran.

Ausländische Weine aus Jugoslawien oder Bulgarien werden in den jeweiligen Spezialitätenrestaurants angeboten. *Chianti Ruffino* gibt es in der Trattoria Viola.

In den Weinstuben gibt es auch kleine Mahlzeiten. Vor allem in der Kleinseite wurden in letzter Zeit viele Weinstuben zu teuren Speiselokalen umgebaut und haben dadurch viel von ihrem früheren Charme verloren.

ADRESSEN

Die hier aufgeführten Weinstuben gehören in die II. und III. Preiskategorie. Es handelt sich um Prager oder Altprager Traditionslokale.

Die Öffnungszeiten sind unterschiedlich, die meisten Lokale sind mindestens bis Mitternacht, teilweise sogar bis 3 Uhr morgens geöffnet. So sind die Weinstuben oft die letzte Zufluchtstätte für Prager Nachtschwärmer.

Beograd, Prag 2, Vodičkova 5, (jugoslawische Weine, Restaurant)

Fregata, Prag 2, Ladova 3

Klášterni vinárna, Prag 1, Národní 8

Lobkovická vinárna, Prag 1, Vlašská 17, (Melniker Wein Ludmila, Speiserestaurant)

Makarská, Prag 1, Malostranské nám. 2, (jugoslawische Weine)

Mělnícká vinárna, Prag 1, Národní tř. 17, (Melniker Weine)

Slovácká vícha, Prag 1, Michalská 6, (Bzenec-Wein)

U Golema, Prag 1, Maislova 8

U Labutí, Prag 1, Hradčanské nám. 11, (südmährische Weine)

U malířů, Prag 1, Maltézské nám. 11, (südmährische Weine aus Mikulov)

U markýze, Prag 1, Nekázanka 8

U Mecenáše, Prag 1, Malostranské nám. 10

U patrona, Prag 1, Dražického nám. 4

U Rudolfa II, Prag 1, Maislova 5

U Šuterů, Prag 1, Palackého 4, (Weine aus Bzenec)

U zelené žáby, Prag 1, U radnice, (Wein aus Velke Zernoseky)

U zlaté hrušky, Prag 1, Hradcany, Novy svět 3

U zlaté konvice, Prag 1, Melantrichova 20

SPEISELOKALE

Restaurants oder Gaststätten, in denen nur gespeist wird, sind in Prag nicht so häufig. Meist ist ein Restaurant mit einer Wein- oder Bierstube verbunden. Das Essen ist immer noch eine Art Volkssport nach dem Motto, „was ich im Bauch habe, kann mir keiner mehr wegnehmen". Unter der Auflistung finden sich Lokale der III. *skupina* bis hin zur Extraklasse. Die Speiselokale der großen Hotels sind dabei nicht aufgeführt.

GUTBÜRGERLICHE KÜCHE

Jüdisches Restaurant, Prag 1, Maislova 18

Halali-Grill, Prag 1, Václavské nám. 5, (Wildgerichte), Tel. 22 13 51

Myslivna, Prag 3, Jagellonská 21, (Wildgerichte), Tel. 27 62 09

Pelikán, Prag 1, Na přikopé 7, Tel. 22 07 81

Praha expo 58, Prag 7, Letenské sady, Tel. 37 45 46

Savarin, Prag 1, Na přikope 10 (in der Passage) Tel. 22 20 66

U Kalicha, Prag 2, Na bojišti 12 (Schweijksche Gerichte), Tel. 29 60 17

U Lorety, Prag 1, Loretánské nám. 8, Tel. 53 13 95

Vysočina, Prag 1, Národní tř. 26, Tel. 22 57 73

Valdstjnská hospoda, Prag 1, Valdštejnské nám. 7, Tel. 53 61 95

AUSLÄNDISCHE SPEZIALITÄTEN

Budapest (Ungarische Küche), Prag 1, (Vodičkova 36, Tel. 24 61 51

Čínská restaurace (Chinesisch), Prag 1, Vodičkova 19, Tel. 26 26 97

Indická restaurace (Indisch), Prag 1, Štěpánská 60, Tel. 236 99 22

Jadran (Jugoslawisch), Prag 1, Mostecká 21 Tel. 53 46 71

Moskva (Russisch), Prag 1, na příkopě 29, Tel. 26 58 21

Sofia (Bulgarisch), Prag 1, Václavské nám. 33, Tel. 22 60 98

Viola Trattoria (Italienisch), Prag 1, Národní tř. 7, Tel. 26 67 32

KAFFEEHÄUSER

Lesen, rauchen, diskutieren, den Tag verstreichen lassen. So könnte man das Leben in den Kaffeehäusern beschreiben.

Vom alten künstlerischen Dasein aus der Zeit Kafkas und Kischs ist nicht mehr viel zu spüren. Trotzdem bieten die Kaffeehäuser immer noch mehr als nur Kaffee und ein Stück Kuchen. Mit unseren Cafés für alte Damen haben diese Lokalitäten wenig gemein. Ein Kaffeehaus ist immer noch ein wichtiger Bestandteil Prager Lebens.

Der angebotene Kaffee, oft in zehn und mehr Variationen zubereitet, ist dabei nicht immer der stärkste.

ADRESSEN

Arco, Prag 1, Hybernská 16
Columbia, Prag 1, Staroměstské nám. 15
Evropa, Prag 1, Václavské nám. 29
Kajetánka, Prag 1, Hradčany, Kajetánska zahrada
Malostranská kavárna, Prag 1, Malostranské nám. 28
Myšák, Prag 1, Vodičkova 31
Obecní dům, Prag 1, Náměstí Republiky
Praha, Prag 1, Václavské nám. 10
Savarin, Prag 1, Na příkopě 10
Slávia, Prag 1, Národní 1
U zlatého hada, Prag 1, Karlova 18

NÜTZLICHE VOKABELN

In den Restaurants der Extraklasse und in den Hotelrestaurants sind die Speisekarten meist zweisprachig. Auch sprechen nahezu alle Kellner in Prag deutsch oder englisch. Trotzdem sei hier eine kleine Liste der gängigen Gerichte und Getränke aufgeführt.

GETRÄNKE

Becherovka	Magenlikör
čaj	Tee
černy čaj	schwarzer Tee
káva	Kaffee
černá káva	türkischer Kaffee
káva s mlékem	Milchkaffee
videňská káva	Kaffee mit Schlagobers
limonáda	Limonade
pivo	Bier
malé pivo	kleines Bier
černé pivo	dunkles Bier
světlé pivo	helles Bier
točené pivo	Faßbier
slivovice	Sliwowitz
víno	Wein
bílé víno	Weißwein
červené víno	Rotwein
voda	Wasser

SPEISEN

bažant	Fasan
biftek	Beafsteak
bramborák	Kartoffelpuffer
brambory	Kartoffeln
buchty	Buchteln (böhm. Süßspeise)
chléb	Brot
bilý chléb	Weißbrot
černý chléb	Schwarzbrot
cukr	Zucker
drubež	Geflügel
fazole	Bohnen
guláš	Gulasch
houby	Pilze
hovězí	Rindfleisch
hovězí pečené	Rinderbraten
hovězí vařené	Suppenfleisch
hrušky	Birne
husa	Gans
houska	Semmel
jablka	Äpfel
jelení	Hirschbraten

kachna	Ente
kančí	Wildschwein
kapr pečený	Karpfen gebraten
kapr smažený	Karpfen garniert
kapr vařený	Karpfen gekocht
kapusta	Wirsing
kaše bramborová	Kartoffelbrei
knedlíky bramborové	Kartoffelknödel
knedlíky chlupaté	rohe Kartoffel- knödel
knedlíky houskové	Semmelknödel
knedlíky ovocné	Obstknödel
králík	Kaninchen
krocan	Truthahn
kuře	Huhn
kuře smažené	Backhendl
kyselé zelé	Sauerkraut
ledvinky	Nieren
máslo	Butter
meruňky	Aprikosen
mrkev	Gelbe Rüben
ořechy	Nüsse
ovoce	Obst
palačinky	dünne Pfannkuchen
párky	Würstchen
pečené	Braten
Pečivo	Gebäck
polévka	Suppe
polévka drštková	Kuttelsuppe
polévka zelná	Krautsuppe
pstruh	Forelle
rajčata	Tomate
roštenka	Rostbraten
ryba	Fisch
rýže	Reis
salát	Salat
sardinký	Sardinen
sekaná	Hackbraten
sladký	süß
slaný	salzig
srnči	Rehbraten
štika	Hecht
šunka	Schinken
telecí	Kalbfleisch
topinky	Toast
třešně	Kirschen
uzeniny	Wurst
vejce do skla	Ei im Glas
vejce na měkko	weiches Ei
vejce na tvrdo	hartes Ei
vepřová	Schweinebraten
zajíc	Hase
zelenina	Gemüse
zmrzlina	Eis
zveřina	Wild

ERKUNDUNGEN

STADTRUNDFAHRTEN & FÜHRER

Das staatliche tschechoslowakische Reisebüro **Čedok** veranstaltet nicht nur Stadtrundfahrten, sondern auch kulturelle Veranstaltungen. Ganzjährig werden Stadtrundfahrten sowie „Prag bei Nacht" mit einem Besuch der Alhambra-Revue angeboten. Zwischen 15.5. und 15.10 kommen zusätzlich „Prag bei Nacht" und zwischen Juni und Oktober die „Prague Party" ins Programm.

AUSFLÜGE

Darüber hinaus werden in der Zeit vom 15.5. bis 15.10 ganztägige Ausflüge von Prag aus organisiert:

G 0 Karlovy Vary-Lidice
G 1 Böhmische Burgen und Schlösser
G 2 Zu den Schönheiten Südböhmens
G 3 Perlen der böhmischen Gotik
G 4 Reizvolles Mittelböhmen
G 5 Slápy-Konopište
G 8 Böhmische Weinbaugebiete
G 9 Böhmische Granaten und Bijouterie

Abfahrt der Busse von Čedok, Praha 1, Bilkova 6, gegenüber dem Hotel Inter-Continental.
Karten gibt es an der Rezeption des Hotels sowie bei:

Čedok, Praha 1, Bilkova 6
Čedok, Na přikope 18
Čedok, Flughafen Prag Ruzyně

PRIVATE FÜHRUNGEN

Private Führungen durch Prag werden von **Pražská informačni služba** (Prager Informationsdienst) organisiert, Prag 1, Panská 4, Tel. 22 43 11

HRADSCHIN

Führungen durch den Hradschin vermittelt:
Informační středisko pražského hradu, Prag 1, Hradčany Vikářská 37 (an der Nordseite des St.-Veits-Doms), Tel. 21 01/33 68

ZOO

Der Prager Zoo liegt in Prag 7, Troja, und ist mit der Metro Linie C bis zur Fucikova und weiter mit dem Bus 112 zu erreichen.

Der Besuch des Tierparks, der schön angelegt ist, kann gut mit dem Besuch des Schlosses Troja verbunden werden. Beide liegen unmittelbar beieinander.

Pražská zoologická zahrada, Prag 7, Troja, U Trojského mostů 3. Geöffnet von Februar bis Dezember 7-17 Uhr, im Sommer bis 19 Uhr.

BOTANISCHER GARTEN

Der Botanische Garten mit seinem Gewächshaus ist an die Universität angeschlossen. Der Garten liegt in der Neustadt, unweit der Kirche St. Nepomuk auf dem Felsen.

Botanická zahrada, Prag 1, na slupi, Öffnungszeiten 7-19 Uhr.

STERNWARTE

Auf dem Petřín neben der „ Bergstation" der Petřínbahn liegt die **Prager Sternwarte**. Sie ist außer Montag täglich geöffnet.

Prag 1, Petřín 205, Januar, Februar, Oktober, November, Dezember 18-20 Uhr, März, September 19-21 Uhr, April, August 20-22 Uhr, Mai, Juni, Juli 21-23 Uhr

KULTURELLES

THEATER & KONZERTE

Prag hat ein reichhaltiges Kulturangebot. Schwieriger als die Auswahl ist die Besorgung von Karten. Teilweise übernimmt das das Čedok, wobei man aber oft für Tage im voraus bestellen muß. Aber selbst dann ist nicht gewährleistet, daß man Karten bekommt. So bleibt einem oft nur der direkte Gang zur Tageskasse, wo man für alle Veranstaltungen *vyprodáno* – ausverkauft – lesen kann. Davon sollte man sich aber nicht abschrecken lassen und es trotzdem versuchen. Mit Freundlichkeit, dem Hinweis „daß man extra von weit her gekommen ist", und einer kleinen Aufmerksamkeit kann man vielleicht doch noch eine Eintrittskarte bekommen.

Manche Vorstellungen sind für Betriebe oder Genossenschaften reserviert. Es lohnt sich auch dann hinzugehen und sich umzusehen. Bestimmt wird man angesprochen, ob man eine Karte möchte, natürlich mit einem kleinen Aufpreis. Manchmal hilft auch die Platzanweiserin.

EINTRITTSKARTEN

Eintrittskarten für Konzerte und Veranstaltungen gesellschaftlicher Art gibt es direkt in den **Sluna-Vorverkaufsstellen**:

Sluna, Prag 1, Panská 4, Passage Cerná ruže
Sluna, Prag 1, Václavské náměstí 28, Alfa Passage
Sluna, Prag 1, Panská 4 (Kinokarten)
Sluna, Prag 1, Václavské náměstí, Lucerna Passage (Rockkonzerte)

Die Tageskasse für das Nationaltheater und die Neue Bühne befindet sich im Glaspalast der Neuen Bühne, Národní třída 4 (Mo-Fr 10-18 Uhr, Sa und So 10-12 Uhr).

Die Preise für Opernkarten liegen zwischen 20 und 100 Kčs.

Národní divadlo (Nationaltheater), Prag 1, Národni třída 2

Národní divadlo-Nová scéna (Neue Bühne), Prag 1, Národni třída 4

Smetanovo divadlo (Smetana-Theater), Prag 1, Vitězného února 8, Tageskasse

Tylovo divadlo z.Zt. geschlossen (ehemaliges Stände-Theater), Prag 1, Železná 11

Divadlo pantomimy-Braník (Pantomime), Prag 4, Branická ulice 63

Divadlo na Zábradí (Theater am Geländer), Prag 1, Anenské náměstí 5, Tageskasse

Divadlo Špeijbla a Hurvínka (Puppentheater), Prag 2, Vinohrady, Římská 45

Laterna Magica, Prag 1, Národní třída 40, Tageskasse

Darüber hinaus gibt es eine Reihe kleiner und weniger bekannter Theater, deren Adresse und Spielplan Sie in den monatlichen Blättern des Prager Informationsdienstes finden.

KONZERTSÄLE

Von den Prager Konzertsälen seien hier genannt:

Dvořák-Saal, Haus der Künstler, Prag 1, Námestí Krasnoarmejců

Smetana-Saal, Obecní dům (Repräsentationshaus), Prag 1, náměstí Republiky 5

Janáček-Saal, Klub der Komponisten, Prag 1, Besední 3

Palác kultury, Kulturpalast, Prag 4, 5.května 65

Agnes-Areal, Prag 1, U milosrdných 17

Kirchenkonzerte finden u.a. statt in:

Kostel sv. Jakuba, Jakobskirche, Prag 1, Jakubská

MUSIKFESTIVAL

Zwischen dem 12. Mai und dem 4. Juni gibt es in Prag das Internationale Musikfestival *Prager Frühling*. Konzerte werden dabei auch in historischen Räumen und Kirchen gegeben. Zum Beispiel:

St.-Veits-Dom, Hradschin

St.-Jakobs-Kirche, Prag 1, Jakubská

St.-Nikolaus-Kirche, Prag 1, Hradčanské nám.

Bertramka, Prag 5, Mozartova 169

Martinic-Palais, Prag 1, Hradčanské nám. 8

Waldstein-Palais, Prag 1, Valdštejnské nám.

KULTURHÄUSER

In den Kulturhäusern wie z.B. dem Malostranská beseda gibt es täglich Veranstaltungen mit musikalischen und künstlerischen Darbietungen, die vom Kammerkonzert über Jazz bis hin zu Rockkonzerten reichen.

FILM

Die wenigsten werden nach Prag kommen, um ins Kino zu gehen. Es gibt hier aber immer wieder interessante und sehenswerte Filme, Filme wie z.B. *Bony a Klid* (es handelt sich hierbei nicht um einen Gangsterfilm, sondern um einen Film über Tuzex-Gutscheine – in der Umgangssprache *bony* genannt – und Schwarzwechsler) sind in Prag Tagesgespräch. Für Karten heißt es einfach anstehen.

Außer den Produktionen aus der Sowjetunion und anderen sozialistischen Ländern gibt es auch Filme westlicher Regisseure wie Ingmar Bergmann, Woody Allen usw. Interessant für Kinofans dürfte ein Besuch der **Barandov-Studios** sein. Vor allem durch Kinder- und Jugendfilm-Produktionen wie z.B. *Pan Tau* sind sie in der ganzen Welt berühmt geworden. Aber auch westliche Produzenten arbeiten dort.

KINOS

Nachfolgend eine Auswahl der im Zentrum gelegenen Kinos.

Alfa, Prag 1, Václavské nám. 28

Blaník, Prag 1, Václavské nám. 56

Hvězda, Prag 1, Václavské nám. 38

Jalta, Prag 1, Václavské nám. 43

Letka, Prag 1, Václavské nám 41

Lucerna, Prag 1, Vodičkova 36

Pařiž, Prag 1, Václavské nám. 22

Sevastopol, Prag 1, Na přikopě 31

64-U Hradeb, Prag 1, Mostecká 21

KABARETT

Altes tschechisches Kabarett kann man Dienstag bis Sonntag 19.30 Uhr im U Fleků sehen. Die für ein Kabarett nötige Schärfe fehlt aber diesem Relikt tschechischen Kabaretts.

U Fleků, Prag 1, Křemencova ul.11

Dem größten Prager Museum, nämlich der Stadt selbst, ist dieses ganze Buch gewidmet. Darüber hinaus gibt es eine stattliche Anzahl von Museen, deren Sammlungen und Kunstschätze teilweise im Rahmen der Stadtrundgänge beschrieben worden sind. Hier noch einmal ein Überblick über verschiedene Museen.

NATIONALGALERIE

Kernstück des Prager musealen Stolzes ist die **Národní galerie** (Nationalgalerie). Sie besteht aus sieben Sammlungen, die in verschiedenen Gebäuden untergebracht sind.

Im **Sternberg-Palais**, Prag 1, Hradčanské nám. (Di-So 10-18 Uhr) befinden sich die Sammlungen **Alte europäische Kunst** und **Französische Kunst des 19. und 20. Jahrhunderts**. In den Räumen des ehemaligen Palais finden sich heute so unvergleichliche Kunstschätze wie die *Rosenkranzfeier* von Dürer, Fragmente eines Altarbildes von Lucas Cranach, und die *Marter des Hl. Florian* von Albrecht Altdorfer.

Unter den italienischen Werken finden sich *David mit dem Haupte Goliaths* und der *Hl. Hieronymus* von Tintoretto, das *Bildnis eines Partriziers* von Tiepolo oder die *Ansicht von London* von Canaletto.

In der niederländischen Sammlung sind es vor allem die *Heuernte* von Pieter Brueghel d. Ä., der *Winterlandschaft* von Pieter Brueghel d.J., die *Marter des Hl. Thomas* von Peter Paul Rubens und der *Rabbiner* von Rembrandt.

Unter den französischen Malern des 19. und 20. Jahrhunderts seien nur genannt Delacroix, Renoir, *Das grüne Kornfeld* von van Gogh sowie Werke von Rousseau, Cézanne und Paul Gauguin. Einen guten Ruf genießen ebenfalls die Sammlungen mit Werken von Chagall und Picasso.

Die dritte Sammlung befindet sich im **St.-Georgs-Kloster** im Hradschin, Jiřský klášter, Prag 1, Hradčany, Di-So 10-18 Uhr. Sie beherbergt die **Alte tschechische Kunst** u.a. mit Werken der Barockkünstler Karel Škréta und Jan Kupecký.

Die **Sammlung moderner Kunst** befindet sich in der **Mestska knihovna** (Staatsbibliothek) in Prag 1, Staré Mesto, nám. primátora Vacka 1, Di-So 10-18 Uhr.

Die **Graphische Sammlung** im Kinsky-Palais besitzt tschechische, slowakische und ausländische Graphiken der letzten fünf Jahrhunderte: **Palác Kinských**, Prag 1, Staroměstské nám. 12 (unregelmäßige Öffnungszeiten).

Die Sammlung **Tschechische Bildhauerkunst des 19. und 20. Jahrhunderts** ist außerhalb Prags im **Schloß Zbraslav**, Di-So 10-18 Uhr (April-November) untergebracht.

Im renovierten Agneskloster, **Anežský klášter**, Prag 1, U milosrdných 17, ist die **Tschechische Malerei des 19. Jahrhunderts** mit Werken der Brüder Quido und Josef Mánes, Karel Purkyně und Mikoláš Aleš zu sehen.

AUSSTELLUNGSSÄLE

Königliches Lustschloß Belvedere, Prag 1, Chotkovy sady, Di-So 10-18 Uhr

Reitschule im Waldstein-Palais, Prag 1, Valdštejnská 2, Di-So 10-18 Uhr

Reitschule der Prager Burg, Prag 1, Hradschin

GALERIE DER HAUPTSTADT PRAG

Altstädter Rathaus-Kreuzgang, Prag 1, Staroměstské nám., täglich geöffnet von 9-17 Uhr

Altstädter Rathaus, II. Etage Ausstellungssaal, Di-So von 10-17 Uhr

RUDOLFINISCHE SAMMLUNG

Die Rudolfinische Sammlung von Rudolf II. gehörte im 16. Jahrhundert zu den bedeutendsten Sammlungen Europas. Durch Plünderungen nach der Schlacht am Weißen Berg, Einverleibung durch die Habsburger und Schweden im Dreißigjährigen Krieg und durch Versteigerungen ist die Rudolfinische Sammlung stark geschrumpft. In den sechziger Jahren fand man bei einer Durchsuchung der Burgräume Bilder von Rubens und Tintoretto. Heute ist die Sammlung, teilweise restauriert, wieder in der Burggalerie, z. B. *Geißelung Christi* von Tintoretto, *Versammlung der olympischen Götter* von Peter Paul Rubens. - Prag 1, Hradčany (II. Burghof), Di-So 10-18 Uhr.

WEITERE AUSSTELLUNGSSÄLE

Mánes, Prag 1, Gottwaldovo nábřeží 1, Di-So, 10-18 Uhr

Nová síň (Neuer Saal), Prag 1, Voršilská 3, Di-So, 10-13 Uhr, 14-18 Uhr

KLEINE GALERIEN

Im Monats-Programm des Prager Informationsdienstes sind auch die Ausstellungen in den kleineren Galerien aufgelistet. Deshalb seien hier nur wenige Galerien aufgeführt, da sich der Besucher am besten vor Ort über das laufende Ausstellungsprogramm informieren kann.

Vaclav Špála Galerie, Prag 1, Narodni tř. 30, Di-So, 10-13 Uhr, 14-18 Uhr

Galerie Nová sín, Prag 1, Voršilská 3, Di-So, 10-13 Uhr, 14-18 Uhr

Galerie Fronta, Prag 1, Spálená 53, Di-So, 10-13 Uhr, 14-18 Uhr

Galerie U Rečických, Prag 1, Vodičkova 10, Di-So,10-13 Uhr, 14-18 Uhr

Jaroslav Franger Galerie, Prag 1 Betlemské nám. 5, Di-So, 10-13 Uhr, 14-18 Uhr

Galerie bratří Čapku (Brüder Capek Galerie), Prag 2 Vinohrady, Jugoslávská 20, Di-So, 10-13 Uhr, 14-18 Uhr

Galerie D. Prag 5, Matoušova 9, Di-So, 10-13 Uhr, 14-18 Uhr

Galerie Vincenc Kramář, Prag 6, Ceskoslovenské armády 24, Di-So 10-13 Uhr, 14-18 Uhr

Galerie ÚLUV, Prag 1, Národní tř. 36, Di-So, 10-13 Uhr, 14-18 Uhr

Galerie Zlatá lilie, Prag 1, Malé náměstí 12, Di-So, 10-13 Uhr, 14-18 Uhr

MUSEEN

Neben den großen und kleinen Galerien, in denen Kunstschätze aus vielen Jahrhunderten zu sehen sind, hat Prag noch weitere interessante Museen anzubieten.

Der Besucher findet Museen zu naturkundlichen, technischen und politischen Themen, um nur ein paar zu nennen. Es folgt eine Überblick über einige Prager Museen:

NÁRODNÍ MUZEUM

Architektonisch kann sich das Národní muzeum (Nationalmuseum) mit seinem Vorläufer, dem Nationaltheater, wohl kaum messen. Etwas klobig und unbeholfen, schließt es den Kreis der Bebauung um den Wenzelsplatz. Ausgestellt sind vorwiegend naturkundliche Exponate aus der Naturwissenschaft wie z.B. eine umfangreiche Mineraliensammlung. Im Foyer finden sich übrigens Statuen aus der Libuše-Sage von Ludwig Schwanthaler. Umfangreich ist auch die Bibliothek des Museums mit über einer Million Büchern.

Národní muzeum, Prag 1, Václavské nám., Mo, Fr 9-16 Uhr, Mi, Do, Sa, So 9-17 Uhr, Di geschlossen

NÁRODNÍ TECHNICKÉ MUZEUM

Wer sich für technische Geräte, Meßgeräte, aber auch das erste tschechische Auto, den Koprivnitzer „Präsieden" von 1897, interessiert, für den ist das Národni technické muzeum ein Muß. So finden sich hier Exponate aus dem Automobil- und Lokomotivenbau, photographische Ausstellungsstücke und in der astronomischen Abteilung Sextanten aus dem 16. Jahrhundert, mit denen einst Kepler gearbeitet hat.

Národní technické muzeum, Prag 7, Letná, Kostelní 42, Di-So 9-17 Uhr; Museumsarchiv Mi, Do 9-17 Uhr, Museumsbibliothek Mo-Fr 9-16 Uhr

VOJENSKÉ HISTORICKÉ MUZEUM

Waffen aller Art finden sich in den zwei Militärmuseen. Im **Historischen Militärmuseum** im Palais Schwarzenberg werden viele außergewöhnliche Waffen, Uniformen und Kriegsgerät der verschiedenen Jahrhun-derte ausgestellt. Die Sammlung gehört zu den größten in Europa.

Vojenské historické muzeum (Historisches Militärmuseum), Schwarzenberský palác, Prag 1, Hradčanské nám. Mai-Oktober, Mo-Fr 19-15.30 Uhr, Sa, So 9-17 Uhr

VOJENSKÉ MUZEUM

Die Entstehung der Tschechoslowakischen Volksarmee, die Kämpfe im ersten und Zweiten Weltkrieg oder auch den Partisanenwiderstand zeigt das:

Vojenské muzeum, Prag 3, Žižkov, U Památníku 2, Di-So 9.30-16.30 Uhr

NÁPRSTKOVO MUZEUM

Ethnographische Exponate sowie auch technisches Gerät aus den entsprechenden Ländern sind im **Museum der asiatischen, afrikanischen und amerikanischen Kulturen** ausgestellt, das auf das private völkerkundliche Museum von Vojta Náprstek von 1862 zurückgeht.

Náprstkovo muzeum, Prag 1, Betlémské nám. 1, Di-So 9-17 Uhr, Di 9-18 Uhr

NÁRODOPISNÉ MUZEUM

Im unteren Teil des Petřin befindet sich das ehemalige Lustschloß der Adelsfamilie Kinsky, in dem heute das **Volkskundemuseum** untergebracht ist. Darin finden sich Töpfereien, Glas, Spielzeug sowie Trachten und Inneneinrichtungen aus alten Bauernhäusern. Besonders schön sind auch der neben dem Museum stehende Glockenturm aus der Walachei und das kleine orthodoxe Holzkirchlein aus dem 18. Jahrhundert, das 1929 aus der westukrainischen Ortschaft Mukačevo hierher gebracht wurde.

Národopisné muzeum, Prag 5, Petřínské sady 98, Di-So 9-18 Uhr

UMĚLECKOPRŮMYSLOVÉ

Böhmisches Glas der verschiedensten Epochen und wunderschöne, alte Möbelstücke sind im Kunstgewerbemuseum ausgestellt. Es beherbergt wohl die größte Glassammlung der Welt sowie eine Fachbibliothek mit rund 100 000 Bänden, die öffentlich zugänglich ist.

Uměleckoprůmyslové muzeum, Prag 1, Ulice 17, listopadu 2, (gegenüber dem ehem. Rudolfinum, heute „Haus der Künstler"), Di-So 10-17 Uhr

POŠTOVNI MUZEUM

Philatelisten und Freunden des Postwesens sei das **Postmuseum** mit seiner großen Sammlung europäischer Briefmarken ans Herz gelegt.

Poštovni muzeum, Prag 5, Holečkova 10, Mo-Fr 8-14 Uhr, Sa und So nur mit Voranmeldung

MUZEUM HLAVNIHO MĚSTA

An der Metrostation Sokolovská liegt das **Museum der Stadt Prag**. Hier befinden sich neben unzähligen Ausstellungsstücken, die die Geschichte der Stadt erläutern, eine seltene Sammlung über das Zunftwesen. Anziehungsmagnet ist aber immer wieder das berühmte Modell der Stadt von 1826-1834. In dem detailgetreuen Modell kann man sehr schön die Stadt vor 160 Jahren mit dem heutigen Prag vergleichen.

Muzeum hlavního města Prahy, Prag 8, Nové sady J. Švermy, Di-So 10- 17 Uhr

PAMÁTNIK NÁRODNIHO PÍSEMNICTVÍ

Das *Strahover Evangeliar* aus dem 9. Jahrhundert besteht aus 218 handgeschriebenen Blättern, die jedoch, wie Schriftvergleiche ergaben, wohl aus Trier stammen. Dieses Evangeliar und eine Reihe weiterer höchst interessanter Exponate finden sich in der Klosterbibliothek von Strahov im Philosophischen und Theologischen Saal. In den benachbarten Räumen des Klosters ist das **Museum des tschechischen Schrifttums** untergebracht, mit einer rund 50 000 Objekte umfassenden Sammlung, darunter Briefe aus der Feder von Jan Hus. Interessant ist ebenfalls die sehenswerte Rekonstruktion einer Buchdruckerei, die aus dem 17. Jahrhundert stammt.

Památník národního písemnictví, Prag 1, Strahovske nadvoří 132, Di-So 9-17 Uhr

MUZEUM HUDEBNÍCH NÁSTROJŮ

Prag ist nicht nur eine Architektur- und Literaturstadt, sondern auch eine Musikstadt. Dies spiegelt sich auch in ihren Museen wider. Insgesamt vier wichtige Anlaufpunkte gibt es für den Musikliebhaber in Prag, und er sollte keinen davon auslassen – finden sich darin doch wertvolle Zeugnisse berühmter Komponisten und Musiker.

Die **Sammlung alter Musikinstrumente** in Prag wird als zweitgrößte der Welt betrachtet. Neben Musikinstrumenten der alten Zeit – es werden auch heute nach alten Techniken wieder Instrumente hergestellt – findet sich hier auch eine reichhaltige Notensammlung aus diversen Archiven.

Muzeum hudebních nástrojů, Prag 1, Lázeňská 2, Sa, So 10-12 Uhr, 14-17 Uhr, Wochentage nach Vereinbarung

MUZEUM ANTONINA DVŘÁKA

Die Bezeichnung „Villa Amerika" stammt aus dem 19. Jahrhundert und ist nach einer Gaststätte so benannt. In dem anmutigen kleinen Bau, einem Werk Kilian Ignaz Dientzenhofers, errichtet zwischen 1717 und 1720 für den Grafen Michna, hat man heute das **Anton-Dvořák-Museum** eingerichtet. In den Ausstellungsräumen finden sich Manuskripte, Dokumente, Fotografien und Briefe an bedeutende Persönlichkeiten wie Johannes Brahms oder den Dirigenten Bülow.

Muzeum Antonina Dvřáka, Prag 2, Ke Karlovu 20, Di-So 10-17 Uhr

MUZEUM BEDŘICHA SMETANY

Im ehemaligen Wasserwerk am Altstädter Ufer ist das **Smetana-Museum** untergebracht, in dem Leben und Werk des großen tschechischen Komponisten anhand von Manuskripten, Noten und anderen Dokumenten lebendig wird.

Muzeum Bedřicha Smetany, Prag 1, Novotného lávka 1, Mo-So 10-17 Uhr, Di geschlossen

MUZEUM ČESKÉ HUDBY

Musikliebhaber wissen, daß Prag auch mit dem Namen von Wolfgang Amadeus Mozart verknüpft ist – Stichwort: *Prager Symphonie* oder *Don Giovanni*. Mozart wohnte in Prag in der **Bertramka**, in der heute das Mozart-Museum untergebracht ist. Cembalo und Klavier sind in der in reizvoller Umgebung gelegenen kleinen Villa noch dieselben, an denen Mozart komponiert hat. Ebenso stammt die Einrichtung nahezu vollständig aus der Zeit seines Aufenthalts.

Muzeum české hudby, expozice W. A. Mozarta, Prag 5, Smíchov, Mozartova 15, Mo-Fr 13-15 Uhr, Sa/So 10-12 und 13-16 Uhr

JÜDISCHES MUSEUM

In den Synagogen des alten Prager Ghettos sind heute die verschiedenen Abteilungen des **Staatlichen Jüdischen Museums** zu besichtigen. Es ist eine traurige Ironie des Schicksals, daß ausgerechnet die Nationalsozialisten, denen 90 Prozent der Prager Juden zum Opfer gefallen sind, hier ein „Museum der Juden als einer ausgestorbenen Rasse" errichten wollten und aus dem ganzen Land Kultur-, Kunst- und Kulturgegenstände zusammentrugen. Sie legten so den Grundstein für das heutige, 1950 auf einen Beschluß der tschechoslowakischen Regierung gegründete Staatliche Jüdische Museum in Prag. Die Exponate, die sowohl Kulturgegenstände als auch diverse Kulturschätze umfassen, sind in den einzelnen Synagogen untergebracht. Dabei ist die Pinkas-Synagoge wegen langwieriger Restaurierungsarbeiten wohl noch auf längere Zeit nicht zu besichtigen. Der Eintritt für alle Objekte inkl. Friedhof kostet 5 Kčs.

MUZEUM W.I. LENIN

Im Rahmen der bedeutendsten Prager Gedenkstätten der Arbeiterbewegung und der KPTsch (Kommunistische Partei der Tschechoslowakei) soll hier natürlich auf das **Lenin-Museum** aufmerksam gemacht werden, in dem 1912 unter Vorsitz von W. I. Lenin die VI. Konferenz der Sozialdemokratischen Partei Rußlands stattgefunden hat.

Muzeum W.I. Lenin, Prag 1, Hybernská 7, Di-Sa, 9-17 Uhr, So 9-15 Uhr

MUZEUM KLEMENT GOTTWALD

In der Rytířská, gegenüber dem Tyl-Theater, findet sich das nach dem kommunistischen Premierminister Klement Gottwald benannte Museum, das einen umfassenden Überblick über die Arbeiterbewegung und die KPTsch gibt.

Muzeum Klement Gottwald, Prag 1, Rytířská 29, Di-Sa 9-17 Uhr, So 9-15 Uhr

Karte zum Artikel
„Architektur – Avantgarde in Prag"
Seite 203 - 205

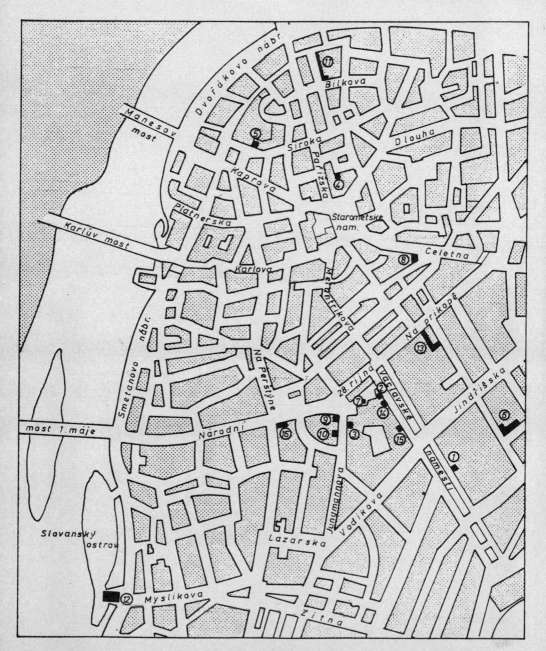

NACHTLEBEN

BARS & CLUBS

Das Prager Nachtleben ist alles andere als berühmt. Nachtmenschen, die sich in anderen europäischen Städten gern die Nacht um die Ohren schlagen, werden in Prag wahrscheinlich so früh ins Bett kommen wie nirgendwo sonst. Was bleibt übrig, wenn Theater oder Oper schließen und Weinstuben ihren Reiz verloren haben? Eigentlich nichts. Dennoch seien hier für diejenigen, die es auch in Prag unbedingt wissen wollen, ein paar Anlaufadressen angegeben.

Die Eintrittspreise dieser Lokale und Bars liegen zwischen 30 Kčs und 50 Kčs, die Lokale selbst gehören zur I. *skupina* oder zur Extraklasse.

Eine vielbemühte Adresse ist das **Alhambra** mit seiner Nightshow. Hier werden Musik, Schwarzes Theater und die üblichen Varietékünste dargeboten. Der Eintritt beträgt 59 Kčs.
Alhambra Nightshow, Prag 1, Václavské nám. 5, Tel. 22 04 67, 20.30-3 Uhr früh

Ebenfalls Varieté wird im **Lucerna Palast** geboten. Die Lucerna Bar ist eine der größten Prager Bars und Tanzlokale. Hier finden auch Konzerte statt.
Lucerna Bar, Prag 1, Štepánská 61, Tel. 235 08 88, 20.30-3 Uhr früh

Freitag und Samstag hat der **Park Club** sogar bis 4 Uhr morgens geöffnet. Ein vor allem von Geschäftsleuten gern besuchtes Nachtlokal im Park-Hotel.
Park Club, Prag 7, Veletržní 20, Tel. 380 71 11, 20.30-3 Uhr früh, Fr, Sa-4 Uhr früh

Im vornehmen Stil gehalten ist die **Est-Bar** im Hotel Esplanade. Der gute Ruf des Hotels überträgt sich auch auf den Nachtklub mit seinem wechselnden Programm.

Est-Bar, Prag 1, Washingtonova 19, Tel. 22 25 52, 21-3 Uhr früh

Ebenfalls in einem Luxushotel, dem Jalta, untergebracht sind die beiden Lokalitäten **Jalta Club** und **Jalta Bar** mit Orchester, Varieté und Disco.
Jalta Club, **Jalta Bar**, Prag 1, Václavské nám. 45, Tel. 26 55 41-9, 21-3 Uhr früh

Mit am besten im ganzen Prager Nachtleben ist das Programm des **Interconti Club** im Hotel Inter-Continental.
Interconti Club, Prag 1, Náměstí Curieových, Tel. 28 9, 21-4 Uhr früh

Ebenfalls mit gutem Programm wartet die **Tatran-Bar** auf, zu der auch ein Tanzcafé mit Glasboden gehört.
Prag 1, Václavské nám. 22, 20.30-4 Uhr früh, Tanzcafé 17-24 Uhr

Von den verschiedenen Tanzcafés und Bars seien hier nur genannt:

Alfa, Prag 1, Václavské nám. 28, 18-1 Uhr früh
Astra, Prag 1, Václavské nám. 4, 10-24 Uhr
Barbara, Prag 1, Jungmannovo nám. 14, 20.30-4 Uhr früh
T-Club, Prag 1, Jungmannovo nám. 14, 20.30-4 Uhr früh

EINKAUFEN

INNENSTADT

Trotz des teilweise begrenzten Warenangebotes kann ein Einkaufsbummel in Prag durchaus seinen Reiz haben. Im folgenden sind die wichtigsten Adressen der TUZEX-Läden, Kaufhäuser und Geschäfte in der Innenstadt genannt.

PRAG 1

Rytířsá 13 (Gold, Bijouterie)
U pujčovny 10 (Versandleistungen)
Lazarská 1 (Damen- und Herrenkonfektion)
Stěpánská 23 (Damen- und Herrenkonfektion)
Palackého 13 (Meterware, Bettwäsche)
Ve Smečkách 24 (Kosmetika)
Na přikopě 12, Bohemia Moser (Glas, Porzellan)
Řeznická 12 (Benetton)
Skořepa 4 (Autozubehör)
Spálená 43 (Batterien für Digitaluhren)
Jungmannovo nám. 17 (Musikinstrumente)
Železná (Fotoapparate)

PRAG 2

Francouzská 26 (Autozubehör)

Unter den **Kaufhäusern** sind vor allem zu nennen:

Prior, Bílá labut, Prag 1, Na pořící 23
Prior, Kotva, Prag 1, Nám. Republiky 8
Prior, Dětsky dum, Prag 1, Na přikopě 15
Prior, Máj, Prag 1, Národní tř. 26
Družba, Prag 1, Václavské nám. 21
Dům kožešin, Prag 1, Železná 14
Dům módy, Prag 1, Václavské nám. 58
Dům obuvi, Prag 1, Václavské nám.
Dům potravin, Prag 1, Václavské nám. 59

ANTIQUITÄTEN

Galerie starožitnosti
Prag 1, Mustek 3
Prag 1, Mikulandská 7
Prag 1, Národní tř. 24
Prag 1, Václavské nám. 60
Prag 1, Melantrichova 9

BUCHHANDLUNGEN

Prag 1, Dlážděná ul. 5
Prag 1, ul. 28. října 13
Prag 1, Štepánská 42
Prag 1, Vodičkova 21
Prag 1, Na příkopě 27
Prag, 1 Můstek 7
Prag, 1 Staroměstské nám. 16
Prag 1, Celetná

SCHALLPLATTEN

Prag 1, Václavské nám. 17
Prag 1, Václavské nám. 51
Prag 1, Vodičkova 41
Prag 1, Jindřísská 19
Prag 1, Celetná 8

DíLOS

Kunstgegenstände werden in den staatlichen Verkaufsstellen, „Dílo" genannt, ausgestellt und verkauft.
Dílo, Prag 1, Na příkopě beim Metroeingang Můstek
Dílo, Prag 2, Vodičkova 32
Galerie Centrum, Prag 1, ul. 28. října 6
Galerie Platýz, Prag 1, Národní tř. 37

GLAS & BIJOUTERIE

Bohemia Glas, Prag 1, Pařížská 2
Bohemia Moser, Prag 1, Na příkop 12
Borske sklo, Prag 1, Malé nám. 6
Krystal, Prag 1, Václavské nám. 30
Bijouterie, Prag 1, Na příkopě 12
Prag 1, Václavské nám. 53
Prag 1, Národní tř.25

SPORT

TENNIS

In Prag gibt es natürlich auch die Möglichkeit, sich sportlich zu betätigen. Besonders für Tennisfans, die einmal nach der so erfolgreichen tschechoslowakischen Tennisschule unterrichtet werden möchten, veranstaltet **Čedok** in den Monaten Juni bis September Kurse (Einzel- und Gruppenunterricht).

JAGEN

Die ČSFR bietet dem Weidmann Jagdausflüge, diese können entsprechend der jeweiligen Saison ebenfalls über Čedok gebucht werden.

REITEN

Reitausflüge finden in Konopiste bei Prag statt und können ebenfalls über **Čedok** gebucht werden.

Die staatliche Pferderennbahn **Státní závodiště** liegt außerhalb in Chuchle.

SCHLITTSCHUHLAUFEN

Slavia Praha IPS Stadion, Prag 10, Vršovice

Štvanice Sport-Areal, Prag 7, unter der Hlavkův most (Brücke)

SCHWIMMEN

Die **Freibäder** an der Moldau sind zum Baden wegen der Wasserqualität nicht zu empfehlen.

Hallenbäder:

Dům kultury Klárov (Haus der Körperkultur), Prag 1, Nábřeži kapit. Jaroše

Julius Fučík Park, Prag 7

BESONDERE HINWEISE

TOURISTENINFORMATIONEN

Der **Prager Informationsdienst** unterhält in Prag 1, Na příkope 20, ein Büro, in dem man alle Informationen über Prag einholen kann. Hier erhält man auch die **Stadtpläne** sowie das Heft *Einen Monat in Prag*, mit den wichtigsten Informationen und Adressen. Dort findet man das monatlich in Deutsch und Englisch erscheinende kostenlose Programmheft mit dem Theater- und Konzertprogramm, Ausstellungshinweisen sowie einer Auswahl wichtiger Kulturveranstaltungen. Eine Zweigstelle des Prager Informationsdienstes befindet sich in der Metrostation Hradčanská (Linie A).

Eine genaue Übersicht über alle Veranstaltungen findet sich in dem nur tschechisch erhältlichen Heft *přehled kulturních pořadu v Praze*, das auch die Veranstaltungen in den Kulturhäusern der einzelnen Bezirke Prags aufführt.

Reiseinformationen und **Buchungen** übernimmt in den meisten Fällen **Čedok**, Abteilung Bahn- und Flugreisen, Prag 1, Na příkope 18, Tel. 12 11 09, 12 18 09, 12 22 33

Touristisches Angebot, Kulturprogramme, Besorgung von Eintrittskarten, Prag 1, Bilkova 6 (beim Hotel Inter-Continental), Tel. 231 87 69, 231 89 49

Eintrittskarten für Sportveranstaltungen gibt es außer bei **Čedok** in der zentralen Vorverkaufsstelle Prag 1, Spálená 23.

TRINKGELD

Ein Trinkgeld von etwa 10% ist in Lokalen üblich. Bei Führungen gibt man 10-20 Kronen, ebenso bei Dienstleistungen, die zur Zufriedenheit ausgeführt wurden.

UNTERKUNFT

HOTELS

Die Hotels in Prag sind in der Regel während der Saison ausgebucht. Um sich die lästige Zimmersuche vor Ort zu ersparen, sollte man vor der Reise eine Reservierung über ein Reisebüro, einen Veranstalter oder eine Čedok-Auslandsvertretung vornehmen. Vorbestellungen von mehreren Wochen sind in der Hochsaison für Prag nicht unüblich.

Außer in den Interhotels, die über die Reisebüros vermittelt werden, kann man auch in privaten Unterkünften, die durch Čedok und Pragotur vermittelt werden, wohnen.

PREISE

Die Hotels in Prag teilen sich in fünf Kategorien auf. Die in der folgenden Liste angegebenen Preise dienen dabei als grobe Orientierungshilfe.

	DZ	EZ
A de luxe (*****)	1200 Kčs	1000 Kčs
A (****)	650 Kčs	400 Kčs
B (**)	400 Kčs	250 Kčs
Motel	600 Kčs + Frühstück	
Botel	550 Kčs + Frühstück	

Preise in DM:

A* (****)	130.–/100.–	100.–/90.–
B* (***)	100.–/ 80.–	80.–/60.–
B (**)	80.–/ 60.–	50.–/50.–
C (*)	60.–/ 50.–	50.–/40.–

Die Hotels Inter-Continental, Panorama und Forum liegen deutlich über dieser Richttabelle.

Außer diesen Hotels gibt es in Prag sogenannte „Botels", Hausboote, die in der Kategorie B* liegen, und zwei Motels der Kategorie A*.

AUSGEWÄHLTE HOTELS

Die Abkürzungen bedeuten:
R= Restaurant   V= Weinstube
S= Wechselstube K=Cafe
B= Bar   G= Garage

A* de luxe (*****)

Alcron, Prag 1, Štěpánská 40, Telefon 235 92 96. R, B, S, G, K
Esplanade, Prag 1, Washingtonova 19, Telefon 22 25 52. R, K, V, B, S
Forum, Prag 4, Kongresová ul., Telefon 41 01 11, Fax: 442/42 06 84, Telex: 122 100 ihfp c
Inter-Continental, Prag 1, Náměstí Curieových, Telefon 28 99. R, K, V, B, S, G
International, Prag 6, náměstí Družby 1, Tel. 32 10 51. R, B, S, K, G

Jalta, Vaclávské náměstí 45, Telefon 26 55 41. R, K, V, B, S

A* (****)

Ambassador, Václavské náměěstí 5, Telefon 22 13 51-6. R, K, B, V, S
Olympik, Prag 8, Invalidovna, Telefon 82 85 41-9. R, K, V, B, S,
Panorama, Prag 4, Milevská 7, Telefon . 41 61 11. R, K, B, S
Parkhotel, Prag 7, Veletržní 20, Telefon 380 71 11. R, K, V, B, S
U tří pštrosů, Prag 1, Dražického náměstí 12, Telefon 53 61 51-5 R, S
Zlatá Husa, Prag 1, Václavské náměstí 7, Telefon 214 31 20

B* (***)

Belvedere, Prag 7, Obránců míru, Telefon 37 47 41. R, K, V, B, S
Central, Prag 1, Rybná 8, Telefon 231 92 84. R, V
Evropa, Prag 1, Václavské náměstí 25, Telefon 236 52 74. R, K, V, S
Flora, Prag 3, Vinohradská 121 Telefon 27 42 50. R, K,V,S
Olympik II-Garni, Prag 8, Invalidnova, U Sluncové, Telefon 83 02 74
Paříž, Prag 1, Obecního domu 1, Telefon 231 20 51. R, K, V, S

B (**)

Ametyst, Prag 2, Makarenkova 11, Telefon 25 92 56-9. R,V,
Atlantic, Prag 1, Na Poříčí 9, Tel. 231 85 12
Savoy, Prag 1, Keplerova 6, Telelefon 53 74 50. R, V

C (*)

Libeň, Prag 8, třida Rudé armády 2, Telefon 82 82 27
Národní dům, Prag 3, Bořivojova 53, Telefon 27 53 65, R
Tichý, Prag 3, Kalininova 65, Telefon 27 30 79, R

BOTELS

Die Botels ankern am Moldau-Kai und werden vorwiegend von ausländischen Touristen, vor allem von Busgesellschaften, belegt.

Admirál B*, Prag 5, Hořejši nábřeži, Telefon 54 86 85. R, B, S
Albatros B*, Prag 1, Nábřeži L. Svobody, Telefon 42 60 51. R, B, S

MOTELS

Club Motel A*, Průhonice bei Prag, Autobahn E 14, Telefon 75 95 13. R, B, S
Hotel Golf B*, Prag, Plzeňská 215a, Autostraße E 15, Telefon 52 10 98. R, B, S

ZIMMERVERMITTLUNG

Die Zimmervermittlung in Prag besorgen Čedok und Pragotur. Beide vermitteln auch Privatunterkünfte.

Čedok, Prag 1, Nové Město, Panská ul.5, Tel. 236 22 92, Telex 12235 Čedok, Mo-Fr 9-22 Uhr (April-Mitte Nov.), Sa 8.30-20 Uhr So 8.30-17 Uhr, Mo-Fr 9-20 Uhr (Mitte Nov.-März), Sa/So 8.30-14 Uhr

Pragotur, Prag 1, Staré Město, U obecního domu 2, Tel. 231 72 81, Mo-Fr 8-21.30 Uhr, Sa 9.30-18 Uhr

CAMPING

In den Außenbezirken und außerhalb Prags gibt es eine Reihe von Campingplätzen, die in die Kategorien A und B unterteilt sind. Buchungen und Vorbestellungen übernimmt das Reisebüro
Autoturist, Prag 1 Nové Město, Opletalova 29, Tel. 22 35 44-9, Mo-Fr 9-12 Uhr, 13-16 Uhr.

KATEGORIE A

Caravan (Mai-Oktober), Prag 9, Kbely Mladoboleslavská 27, Tel. 89 25 32,R, V
Kotva (Mai-September), Prag 4, U ledáren 55, Tel. 46 17 12. Buffet, R

KATEGORIE B

Dolní Chabry (Juni-September), Prag 8, Dolní Chabry, Ústecká ul.

LITERATURHINWEISE

BÜCHER

Kafka, Franz: Die Romane. *Amerika/Der Prozeß/Das Schloß*, S. Fischer Verlag, Frankfurt
Kafka, Franz: *Sämtliche Erzählungen*, S. Fischer Verlag, Frankfurt
Kafka, Franz: *Tagebücher*, S. Fischer Verlag, Frankfurt
Hašek, Jaroslav: *Die Abenteuer des braven Soldaten Schwejk*, Rowohlt, Hamburg
Kisch, Egon Erwin: *Aus Prager Gassen und Nächten, Gesammelte Werke III*, Aufbau Verlag, Berlin Weimar
Vaculik, Ludvik: *Tagträume*, Hoffmann und Campe, Hamburg
Seifert, Jaroslav: *Alle Schönheiten dieser Welt*, Knaus, München
Seifert, Jaroslav: *Der Halleysche Komet*, Schneekluth, München
Filip, Ota: *Café Slavia*, Fischer Verlag, Frankfurt
Neruda, Jan: *Kleinseitener Geschichten*, Winkler Verlag, München
Hável, Vaclav: *Briefe an Olga*, Rowohlt, Hamburg
Versuch in Wahrheit zu leben, Rowohlt, Hamburg
Das Gartenfest, Rowohlt, Hamburg
Am Anfang was das Wort, Rowohlt, Hamburg

VISUELLE BEITRÄGE

REGISTER

U

V

W

Z

A
B
C
D
E
F
G
H
I
J
a
b
c
d
e
f
g
h
i
j
k
l